FRENCH

* *

Reading for Meaning

FRENCH

* *

Reading for Meaning

Edited by
Modern Language Materials Development Staff,
Harcourt, Brace & World, Inc.

Under the general editorship of the late
George A. C. Scherer,
of the University of Colorado

HARCOURT, BRACE & WORLD, INC.
New York   Chicago   San Francisco   Atlanta   Dallas

COVER: "Midnight" by Auguste Herbin. This painting is reproduced through courtesy of the Galerie Denise René, Paris.

Printed in the United States of America

FOREWORD

This book is one of a series of French readers entitled *Reading for Meaning.* The selections included are intended to be read with direct association between the printed word and its meaning. Students should be able to read these selections easily and with pleasure upon completion of two levels of classroom instruction. Structure and vocabulary are carefully controlled. There are marginal glosses and a complete French–English vocabulary.

CONTENTS

FOREWORD v

Le Monôme du baccalauréat 1

Pas d'eau sale pour madame la concierge 3

Promenade à Paris 8

La Pêche à la sardine 15

La Baleine de Ker-Armor 20

Le Journal du capitaine Petitpas 27

Les Mémoires d'un chat parisien 34

L'Auto-stop 45

Une Odeur de violettes 51

Les Dimanches historiques de la famille 63

La Vallée inconnue 74

Le Trésor du professeur Sabourdi 89

Avec un peu de chance... 97

Le Groupe 108

La Paix 122

Week-end sur la Côte 132

FRENCH–ENGLISH VOCABULARY 149

FRENCH

⁂

Reading for Meaning

LE MONÔME DU BACCALAURÉAT[1]

Cinq heures un soir de juin. Les examens du baccalauréat sont terminés. La porte du lycée s'ouvre. Une centaine de jeunes garçons et de jeunes filles sortent en criant[2] et se bousculant. Pendant plusieurs jours, ils se sont concentrés▫ sur leur travail, ils n'ont pensé qu'à cet examen difficile qui décidera de leur avenir. Maintenant ils n'ont qu'un désir, tout oublier, — au moins jusqu'au jour des résultats▫.

Dans beaucoup de villes de France, chaque année au mois de juin, les étudiants qui sortent des examens du baccalauréat forment▫ un monôme : ils marchent° dans les rues tous ensemble en faisant beaucoup de bruit. Ce soir-là les automobilistes prudents évitent les rues autour du lycée. Mais il y en a toujours quelques-uns qui se trouvent pris. « Regardez! Une Volkswagen!! » Tout le monde se précipite pour lui barrer le passage. En un instant▫ elle est entourée par la foule, qui l'oblige à s'arrêter, la pousse dans toutes les directions et finit par l'abandonner sur le trottoir.

marcher : *to walk*

Plus loin un autre groupe d'étudiants a paralysé un autobus. Une vingtaine d'entre eux sont montés sur le toit; ils enlèvent leur cravate° et l'agitent au-dessus de leur tête en criant « Victoire! » Quelques passagers pressés essaient de protester, mais leur voix est vite couverte par les clameurs▫ sauvages des assaillants▫.

enlèvent leur cravate (f) **:** *take off their neckties*

Au coin de la rue un grand magasin est encore ouvert. On se jette sur les marchandises, on fait semblant de les

---

[1] **Le monôme du baccalauréat** is a line which the students form to celebrate the completion of the **baccalauréat,** the final examination that they must pass in order to qualify for schools of higher education.

[2] The English equivalent of the verb ending **-ant** is normally "-ing." When **en** precedes this form, it usually implies "at the same time": **en criant** = "shouting (at the same time)."

emporter sans payer, on pose aux vendeuses des questions idiotes.

En sortant du magasin les étudiants s'attaquent aux terrasses de café. Ils passent entre les tables en bousculant les clients, s'arrêtent pour boire dans leur verre. Puis ils repartent vers le jardin public où ils vident leurs bouteilles d'encre dans l'eau des fontaines□. Ils mettent un livre entre les mains d'une nymphe□ de marbre□, et un béret sur la tête d'Apollon.

Enfin, quand ils se sont bien fatigués, ils se séparent en petits groupes et vont finir la journée chez l'un d'entre eux°. Ils dansent, ils parlent des grandes vacances, ils s'amusent. Mais il y a une chose qui est strictement défendue ce soir-là, c'est de discuter du baccalauréat.

l'un d'entre eux : *one of them*

FRANÇOISE GENTY

QUESTIONS

1. Quand les examens du baccalauréat ont-ils lieu?
2. Pourquoi les étudiants sont-ils tellement excités?
3. Que font les étudiants quand ils forment le monôme?
4. Pourquoi n'y a-t-il pas beaucoup de voitures près du lycée ce jour-là?
5. Qu'est-ce qui se passe lorsque les étudiants réussissent à arrêter une voiture?
6. Que font quelques-uns des étudiants sur le toit d'un autobus?
7. Pourquoi quelques passagers protestent-ils?
8. Que font les étudiants dans le grand magasin?
9. Où vont-ils en sortant du grand magasin? Qu'y font-ils?
10. Quels « amusements » inventent-ils dans le jardin public?
11. Comment finissent-ils la journée?
12. De quoi évitent-ils de parler ce soir-là?

PAS D'EAU SALE POUR MADAME LA CONCIERGE
(FARCE EN UN ACTE)

Dans le salon des Dubois, à Paris. Il est onze heures du matin. Mme Dubois est sur le divan, une serviette mouillée° sur la tête. Un inspecteur de police est debout près de la fenêtre, un papier à la main.

serviette mouillée : *damp towel*

L'INSPECTEUR Madame Dubois, je regrette d'être obligé de vous dire que la concierge...

MME DUBOIS Celle-là encore! Cette horrible femme!

L'INSPECTEUR Madame, laissez-moi parler!

MME DUBOIS Excusez-moi, Monsieur l'Inspecteur, j'ai mal à la tête et quand je pense à cette femme...

L'INSPECTEUR Prenez deux aspirines et permettez-moi de continuer!

MME DUBOIS L'aspirine me fait mal à l'estomac, Monsieur l'Inspecteur.

L'INSPECTEUR Madame Dubois, je ne suis pas venu ici pour parler de votre estomac! Je suis venu vous dire que Mme Lavaud, votre concierge, nous a appelés ce matin, à 9 h. 29 exactement, à propos de votre fils. Voyons, voyons, votre fils... (il regarde ses notes)... votre fils Bibi.

MME DUBOIS Le cher petit! C'est un ange°, cet enfant, Monsieur l'Inspecteur, un vrai petit ange...

ange (m) : *angel*

L'INSPECTEUR Madame Dubois, j'ai là des documents qui semblent indiquer que votre fils... voyons, voyons, votre fils (il regarde ses notes)... votre fils Bibi n'est pas un petit ange! Savez-vous ce qu'il a fait ce matin à... (il regarde ses notes) à 9 h. 29 exactement?

MME DUBOIS Comment le saurais-je, Monsieur l'Inspecteur? Je ne peux pas savoir tout ce que mon petit garçon fait à chaque minute de la journée. C'est un enfant très actif, Monsieur l'Inspecteur, plein d'imagination, et si drôle! Seulement il me fatigue un peu.

J'ai une santé délicate▫ et j'ai souvent mal à la tête...

L'INSPECTEUR Prenez de l'aspirine!

MME DUBOIS Mais Monsieur l'Inspecteur, je vous ai déjà dit que l'aspirine me rend malade°; j'ai l'estomac très fragile▫, vous savez...

rendre (+ adj) : *to make*

L'INSPECTEUR Je ne suis pas ici pour parler de votre estomac, Madame!

MME DUBOIS Comme la police est cruelle▫ et indifférente! Je lisais hier dans le journal...

L'INSPECTEUR Madame! N'essayez pas de m'interrompre dans l'exercice▫ de mes fonctions▫! Je disais donc que ce matin (il regarde ses notes) à 9 h. 29 exactement, votre fils Bibi a arrosé la concierge avec de l'eau sale pendant qu'elle descendait du troisième étage après avoir apporté un télégramme (il regarde ses notes)... à M. Raoul Mercier...

MME DUBOIS Ce n'est pas vrai, Monsieur l'Inspecteur. M. Mercier ne reçoit° jamais de télégrammes. Surtout pas le jeudi. Ça, je peux vous l'assurer▫, Monsieur l'Inspecteur. D'ailleurs pourquoi en recevrait-il? Toute sa famille habite à Paris, rue d'Assas, à part son frère qui est à Belleville...

recevoir : *to receive*

L'INSPECTEUR M. Mercier ne m'intéresse pas! Je disais donc que la concierge a été arrosée avec de l'eau sale et que votre fils... (il regarde ses notes) votre fils Bibi est responsable▫ de ce...

MME DUBOIS Voyons, Monsieur l'Inspecteur, vous ne me direz pas que c'est un crime▫ d'arroser la concierge avec de l'eau...

L'INSPECTEUR Avec de l'eau sale, Madame!

MME DUBOIS Monsieur l'Inspecteur! Il n'y a pas d'eau sale chez moi!

L'INSPECTEUR Madame! Ce qu'il y a chez vous ne m'intéresse pas!

MME DUBOIS Alors, qu'est-ce que vous faites ici!?

L'INSPECTEUR La concierge a été arrosée avec de l'eau sale ce matin à (il regarde ses notes) 9 h. 29 exactement, ses vêtements° et ses cheveux ont été mouillés et la victime▫ risque d'attraper une pneumonie▫!

vêtements (m) : *clothes*

MME DUBOIS Dites-lui de prendre de l'aspirine!

L'INSPECTEUR L'aspirine est mauvaise pour l'estomac!

MME DUBOIS Alors, c'est ça! Mon estomac ne vous intéresse pas et celui de la concierge est très important! Je vais le dire à mon mari qui connaît le Ministre□ de la Santé Publique et vous allez voir...

L'INSPECTEUR Madame Dubois! Je ne suis pas venu ici pour parler de votre estomac ni de celui de Mme Lavaud, votre concierge. Je suis venu ici pour parler de votre fils... (il regarde ses notes), votre fils Bibi.

MME DUBOIS Ce cher petit!

L'INSPECTEUR Madame, je vous en prie! Cette affaire est sérieuse! Quel âge a votre fils?

MME DUBOIS Cinq ans, Monsieur l'Inspecteur. Il aura cinq ans au mois de mars. Un petit garçon très intelligent□, très précoce□...

L'INSPECTEUR Trop précoce! Comment s'appelle-t-il?

MME DUBOIS Bibi.

L'INSPECTEUR Madame Dubois, ne me racontez pas d'histoires! Bibi, ce n'est pas un nom°. Quel est son nom?

nom (m) : *name*

MME DUBOIS Léon-Désiré Dubois. Mais quand il avait sept mois, il a décidé de s'appeler Bibi, et pour ne pas lui donner de complexes□, nous avons continué à l'appeler comme ça.

L'INSPECTEUR Ça, c'est votre affaire. Je ne suis pas venu ici pour parler de complexes ou de noms. Je suis venu ici pour clarifier□ cette histoire d'eau sale et c'est tout!

MME DUBOIS Ne criez pas, Monsieur l'Inspecteur! Bibi va vous entendre et il va avoir des complexes!

L'INSPECTEUR Donnez-lui de l'aspirine!

MME DUBOIS Monsieur l'Inspecteur! L'aspirine ne guérit pas les complexes! Le docteur Strumpfheimer, vous savez, le grand spécialiste des complexes... Comment? Vous ne le connaissez pas?... Vous devriez lire son livre *Le problème□ de la complexité□ des complexes.* Il décrit° et analyse□ très bien toutes ces choses. Vous pourriez apprendre quelque chose,

décrire : *to describe*

Monsieur l'Inspecteur, ça ne vous ferait pas de mal. Je disais donc que le docteur Strumpfheimer m'a dit que mon Bibi...

L'INSPECTEUR Les complexes ne m'intéressent pas! Ce que je veux savoir, c'est pourquoi votre fils... votre fils, Léon-Désiré Dubois, alias▫ Bibi, a arrosé la concierge avec de l'eau sale ce matin à... (il regarde ses notes)... à 9 h. 29 exactement.

MME DUBOIS Eh bien voilà, Monsieur l'Inspecteur, ça doit être parce que Bibi déteste▫ la concierge. Le docteur Jean-Claude Strumpfheimer, spécialiste des complexes, a dit que quand Bibi déteste quelqu'un, il faut qu'il exprime° ses émotions▫ activement et énergiquement...

exprimer : *to express*

L'INSPECTEUR Madame, il y a des émotions qui sont incompatibles▫ avec l'ordre▫ public.

MME DUBOIS Mais Monsieur l'Inspecteur, le pauvre petit ange n'est pas responsable de ses émotions...

L'INSPECTEUR Mais vous, vous êtes responsable de ses actions▫ !

MME DUBOIS Comment? Moi? Responsable?

L'INSPECTEUR Bien sûr! C'est votre fils! Les parents sont responsables de l'éducation de leurs enfants, Madame, surtout de leur mauvaise éducation!

MME DUBOIS Ça alors! Personne ne vous demande votre avis sur l'éducation de mon fils, mon pauvre petit....

L'INSPECTEUR Je parle surtout des résultats de cette éducation. Je vais faire mon rapport° et nous verrons. Au revoir, Madame. (Il sort).

rapport (m) **:** *report*

MME DUBOIS (se lève et crie) Bibi, Bibi! Viens, mon ange!

BIBI Oui, Maman?

MME DUBOIS Bibi, quand tu voudras arroser la concierge, prends de l'eau propre. L'eau sale, ça apporte des tas de complications▫ !

NELLY MARANS

QUESTIONS

1. Où est Mme Dubois? Qu'est-ce qu'elle a sur la tête?
2. Qui a appelé l'inspecteur de police?
   A quelle heure exactement est-ce qu'on l'a appelé?
3. Qui est Bibi? Qu'est-ce qu'il a fait?
4. Pourquoi l'inspecteur dit-il à Mme Dubois de prendre de l'aspirine?
5. Comment Mme Dubois évite-t-elle de parler de ce que son fils a fait?
6. Comment Mme Dubois décrit-elle son fils?
7. D'après Mme Dubois, pourquoi la concierge n'a-t-elle pas pu apporter de télégramme à M. Mercier?
8. Pourquoi la concierge risque-t-elle d'attraper froid?
9. Quel âge a le fils de Mme Dubois? Quel est son vrai nom? Pourquoi est-ce qu'on l'appelle Bibi?
10. Pourquoi Mme Dubois laisse-t-elle son fils faire tout ce qu'il veut?
11. D'après Mme Dubois, pourquoi Bibi a-t-il arrosé la concierge?
12. D'après l'inspecteur, pourquoi Mme Dubois est-elle responsable des actions de son fils?
13. Quel conseil Mme Dubois donne-t-elle à son fils?

PROMENADE A PARIS

J'avais attendu ce voyage à Paris depuis longtemps. Mais maintenant que j'y étais, je ne savais vraiment pas où aller. Je connaissais de nom le Quartier Latin et le Louvre, mais c'était tout. J'ai décidé de commencer par le Quartier Latin. On m'a indiqué un autobus qui y allait. Il est arrivé au bout de quelques minutes. J'ai été content de voir que c'était un vieil autobus avec une plateforme ouverte à l'arrière. C'est là que je me suis installé : on est à l'air et on voit beaucoup mieux que de l'intérieur. Malheureusement il paraît que dans quelques années ils seront tous remplacés par les nouveaux qui sont complètement fermés. Le progrès□ ! Un homme en uniforme — j'ai appris plus tard qu'on l'appelle le receveur — est venu près de moi et m'a regardé d'un air interrogateur.

— C'est combien? lui ai-je demandé[1].

— Où est-ce que vous allez?

— Au Quartier Latin.

— Où au Quartier Latin? C'est grand, le Quartier Latin.

— Eh bien, au centre du Quartier Latin... là où il y a tous les étudiants.

— Bon, alors, place Saint-Michel, ça fait trois tickets[2].

J'ai payé, puis j'ai tiré° la carte de Paris de ma poche, mais avant que j'aie pu trouver la place Saint-Michel, le receveur me disait que j'étais arrivé.

tirer : *to pull*

J'ai été étonné par la foule qui encombrait le trottoir du boulevard Saint-Michel. C'étaient tous des étudiants

---

[1] In standard written style, the order of the subject pronoun and verb is inverted after a quotation.

[2] Bus routes are divided into sections. For each section of the route traveled, a passenger must pay the **receveur** (bus conductor) one **ticket**.

sans doute. Je n'aurais jamais cru qu'il y en aurait tellement. Je n'avais pas encore pris mon petit déjeuner et j'avais vraiment faim. J'ai choisi le plus grand café, celui au coin de la rue des Écoles, et j'ai demandé un café au lait et une brioche. A la table voisine, un groupe d'étudiants discutait, mais je n'arrivais pas très bien à comprendre de quoi. Le garçon° m'a apporté mon café et, à ma grande surprise, un sandwich.

garçon (m) : *waiter*

— Excusez-moi, Monsieur, mais je vous ai demandé une brioche.

— Vous êtes sûr? Eh bien alors, qui m'a demandé un sandwich?

— C'est moi, a dit un des étudiants à la table voisine.

L'étudiant a dû remarquer mon accent□ parce qu'il s'est tourné vers moi et m'a demandé d'où je venais.

— D'Athènes□, lui ai-je répondu.

— Ah, j'y suis allé l'été dernier. C'est un beau pays, la Grèce□. Vous restez longtemps à Paris?

— Deux semaines seulement. Ensuite je vais à Londres.

— Qu'est-ce que vous avez déjà vu, à Paris?

— Rien, je viens d'arriver. Mais je crois que la première chose que je vais aller voir, c'est le Louvre. Vous pourriez peut-être me dire comment y aller?

— Vous pouvez y aller à pied. C'est une belle promenade. Vous descendez le Boul' Mich jusqu'à la Seine, vous traversez le pont, puis... Tenez, si vous voulez, je vais aller avec vous. Ça me fera du bien de marcher un peu.

— Je ne voudrais pas vous déranger. Vous avez sans doute autre chose à faire.

— Il y a toujours autre chose à faire, comme d'aller à la bibliothèque, par exemple. Mais initier□ un étranger aux incomparables□ trésors□ d'art des musées de France est une bonne excuse□ pour ne pas le faire. Allons-y!

Nous sommes descendus jusqu'à la Seine et nous avons suivi les quais sur la Rive Droite. En arrivant au Louvre, mon guide, qui s'appelait Jacques, me parlait déjà comme à un vieil ami.

— Tu as une carte d'étudiant?

— Oui, j'en ai une, mais pas française, bien sûr.

— Tu veux dire° que c'est tout écrit en grec?

— Bien sûr. Qu'est-ce que vous croyez?

— Oh, tant pis. On va la présenter quand même. C'est moitié prix avec une carte d'étudiant.

vouloir dire : *to mean*

J'avais remarqué que Jacques m'avait dit « tu » et je pensais que je devrais lui dire « tu » aussi. Mais ça me gênait un peu : j'avais bien appris cette forme□ en classe, mais je ne l'avais jamais utilisée.

Comme c'était un jour de semaine, nous n'avons pas fait la queue longtemps. Jacques a demandé deux billets moitié prix et a montré sa carte et la mienne. L'employée a hésité. Moi, je me suis tu°; j'ai laissé Jacques parler. Finalement l'employée a accepté ma carte.

se taire : *to keep quiet*

J'ai été très fier de voir qu'on avait placé en haut du premier escalier *la Victoire de Samothrace*[3] — pour indiquer que sans la Grèce il n'y aurait pas eu d'art occidental□. Puis nous sommes allés dans la section□ des antiquités□ grecques et romaines, et j'ai enfin pu contempler□, pour la première fois, *la Vénus de Milo.* Je trouvais pourtant que c'était un peu ironique d'avoir à voyager si loin pour pouvoir l'admirer, et j'étais un peu irrité de voir que Jacques avait l'air de la considérer comme sa propriété. J'ai senti le besoin de lui faire comprendre que sans l'avoir jamais vue, je la connaissais mieux que lui.

— Dis donc, lui ai-je demandé, tu sais pourquoi elle n'a plus de bras?

— Oh, j'ai entendu pas mal d'explications, mais elles m'ont toutes paru assez fantaisistes°.

fantaisiste : *fantastic*

— Ça, ce sont mes parents qui me l'ont raconté, et je crois que c'est vrai. Il paraît que la statue a été

[3] **La Victoire de Samothrace** ("Winged Victory") is a statue representing a winged female deity. It was discovered in 1863 on the Greek island of Samothrace. The statue, from which the head and the arms are now missing, is believed to have once stood at the prow of a ship.

trouvée par un fermier de l'île de Milo. Lorsque les Français ont appris la nouvelle de la découverte, ils ont décidé d'acheter la statue. Les îles grecques étaient alors sous la domination▫ turque▫. L'ambassadeur▫ de France a donc négocié▫ avec les Turcs▫ et la statue a été embarquée▫ sur un bateau spécial. Puis les Turcs ont décidé qu'ils voulaient la garder. Les marins turcs ont alors attaqué les Français pour essayer de leur reprendre la statue. Elle avait été désassemblée▫ pour le voyage, et pendant le combat▫ les bras sont tombés à la mer; on n'a jamais pu les retrouver.

— Tiens, c'est intéressant, ça; je n'avais jamais entendu cette version▫.

Puis Jacques m'a emmené voir *la Joconde*[4]. Je ne sais pas pourquoi, mais j'imaginais ce tableau° beaucoup plus grand. Nous avons visité plusieurs salles de peinture, mais trop vite à mon goût. Je me suis dit que je reviendrais le lendemain et que je passerais toute la journée dans le musée. Il était déjà midi quand nous sommes sortis et Jacques a proposé d'aller déjeuner.

tableau (m) : *painting*

— Je connais dans l'île Saint-Louis[5] un petit restaurant pas cher et très sympathique. Allons-y. Tu verras ce que c'est que la vraie cuisine▫ bourgeoise▫ française (c'est la patronne qui la fait elle-même) et puis le quartier est pittoresque, c'est mon coin préféré à Paris.

* * *

J'ai tout de suite compris pourquoi Jacques aimait tant l'île Saint-Louis. J'avais l'impression d'être dans une petite ville : les rues étaient étroites et tout était très calme.

— C'est sous Louis XIII qu'on a commencé à con-

---

[4] **La Joconde,** a famous painting by Leonardo da Vinci, is commonly known in English as the "Mona Lisa."

[5] **L'île Saint-Louis** is an island in the Seine, near the **île de la Cité**.

struire sur l'île. Avant, il n'y avait que des vaches; d'ailleurs, l'île s'appelait l'île-aux-Vaches.

— Tu veux dire que toutes ces maisons ont trois siècles?

— Oui, certainement toutes celles qui bordent le quai. Je ne suis jamais entré dans ces maisons, mais il paraît qu'elles sont somptueuses□ à l'intérieur. Je vais t'en montrer une où l'on donne des réceptions□ pour les diplomates□ des pays étrangers. C'est tout près d'ici. On l'appelle l'Hôtel de Lauzun. Si je me rappelle bien, Lauzun était une sorte de capitaine□ ou de colonel□ sous Louis XIV. Mais c'est surtout sa femme°, la Grande Mademoiselle[6], qui est intéressante.

femme (f) : *wife*

— La Grande Mademoiselle... ça me dit quelque chose.

— Sûrement, elle est très connue. C'était la nièce de Louis XIII, une femme assez extraordinaire... Mais je ne t'ennuie pas avec tous ces détails historiques□, non?

— Non, pas du tout, au contraire.

Il était difficile de répondre autre chose, mais j'aurais préféré qu'il m'indique les bons coins de Montmartre.

— Où en étais-je?

— Tu disais que c'était la nièce de Louis XIII.

— Ah oui. Elle était très grande et elle devait se sentir° mal à l'aise dans la compagnie des autres femmes parce qu'elle s'est tournée très jeune vers des occupations peu féminines□. C'était la vie militaire□ et les intrigues□ politiques□ qui l'intéressaient. Mais avec ses goûts masculins□ elle n'attirait pas beaucoup les hommes, la pauvre fille. De toute façon elle ne semblait pas s'en préoccuper beaucoup. Jusqu'au jour où elle a rencontré Lauzun. Il était plus petit qu'elle, mais il avait beaucoup de charme□. Elle avait alors quarante-deux ans. Elle a demandé à Louis XIV la permission de

devait se sentir : *must have felt*

---

[6] It was customary to refer to the oldest daughter of the king's oldest brother as **Mademoiselle**. Since **grand** has the meaning "great," as well as "tall" or "big," **la Grande Mademoiselle** was a play on words.

l'épouser°. Il a commencé par donner son accord, mais, sous l'influence◻ des autres membres◻ de la famille royale◻, il a changé d'avis, et pour être sûr que le mariage◻ n'aurait pas lieu il a fait mettre[7] Lauzun en prison◻. Dix ans plus tard la Grande Mademoiselle a réussi à l'en faire sortir, mais Louis XIV était toujours opposé au mariage. Ils se sont donc mariés◻ secrètement et ont mis la famille royale devant le fait accompli◻.

épouser : *to marry*

Malheureusement Lauzun était loin d'être un mari idéal◻. Il était très sévère et ne laissait pas beaucoup de liberté à sa femme. Ils se sont séparés au bout de quelques années. Sept ans après, la Grande Mademoiselle est morte, à l'âge de soixante-deux ans.

Fin du cours d'histoire. D'ailleurs, voici mon restaurant. Dépêchons-nous! Je parle trop et l'heure passe. Si la mère Poulard a décidé d'aller faire une petite sieste◻, nous trouverons la porte fermée.

FRANÇOISE GENTY

---

[7] **Faire** followed by an infinitive is often equivalent to "to have (something) done" or "to make (someone) do something": **il a fait mettre Lauzun en prison** = "he had Lauzun put in prison."

QUESTIONS

1. Quel endroit l'étudiant grec choisit-il pour commencer sa visite de Paris?
2. En quoi les vieux autobus français sont-ils différents des autobus américains?
3. Où l'étudiant grec descend-il? Combien de tickets donne-t-il au receveur?
4. Pourquoi décide-t-il de s'arrêter à un café?
5. Qu'est-ce que le garçon lui apporte? Pourquoi est-il surpris?
6. Comment fait-il la connaissance d'un étudiant français? Où vont-ils ensemble?
7. Pourquoi est-ce que Jacques lui demande s'il a une carte d'étudiant?
8. D'après l'étudiant grec, où *la Vénus de Milo* a-t-elle été trouvée? Par qui?
9. Avec qui les Français ont-ils négocié pour acheter la statue? Pourquoi?
10. Pourquoi les Turcs ont-ils attaqué les Français?
11. Comment les bras de la statue ont-ils été perdus?
12. Pourquoi l'étudiant grec est-il un peu surpris quand il voit *la Joconde*?
13. Pourquoi les deux garçons vont-ils à l'île Saint-Louis?
14. En quoi l'île Saint-Louis est-elle pittoresque?
15. Qui était la Grande Mademoiselle?
16. A quoi est-ce qu'elle s'intéressait quand elle était jeune?
17. Quel âge avait la Grande Mademoiselle quand elle a rencontré Lauzun? Qu'est-ce qu'elle a décidé de faire?
18. Pourquoi Louis XIV a-t-il fait mettre Lauzun en prison?
19. Quand est-ce que la Grande Mademoiselle a pu enfin épouser Lauzun?
20. Quelle sorte de mari était Lauzun?
21. A quel âge la Grande Mademoiselle est-elle morte?

LA PÊCHE A LA SARDINE

— Demain matin, la marée sera haute° à six heures. Mon père veut sortir du port à quatre heures. Ça te va?

haut : *high*

— Oui, bien sûr. On reviendra vers quelle heure?

— Vers huit heures. Tu seras certainement rentré pour le petit déjeuner.

— Bon, je t'attendrai sur la route. Tu es certain de te réveiller, oui? Si tu laisses la fenêtre ouverte, je peux venir t'appeler, si tu veux.

— Non, il vaut mieux ne pas faire de bruit. J'y serai, ne t'en fais pas.

Gilles quitte Pierre et il retourne vers la maison de son oncle et de sa tante, chez qui il passe tous les ans les grandes vacances. Il adore▫ la Cotinière, ce charmant village de l'île d'Oléron[1], et la grande villa sur la dune▫, face à la mer, avec la plage d'un côté et, de l'autre, le petit port de pêche. Il passe beaucoup de temps sur le port à admirer les bateaux. Un jour il aura lui aussi un bateau à voiles, mais pour le moment il doit se contenter de sa petite barque à rames°. Chaque jour il regarde les bateaux sortir du port et quand il les voit rentrer il se précipite sur le quai. C'est toujours avec le même plaisir qu'il regarde les marins mettre les soles▫ et les crevettes grises, les harengs et les thons bleu métallique▫ dans les camions qui les emportent vers les marchés des grandes villes. Mais ce qu'il aime surtout, ce sont les retours de pêche à la sardine au début de l'été. Les matins sont souvent pleins de l'odeur délicieuse des sardines qui grillent▫ sur des feux de bois en plein air.

rame (f) **:** *oar*

Pendant les longues journées à l'école, quand il pensait à la Cotinière et aux grandes vacances, Gilles se

[1] **L'île d'Oléron** is an island off the west coast of France at the mouth of the Charente river.

promettait que cet été il irait une fois au moins à la pêche à la sardine.

Cette année il s'est fait un nouvel ami, Pierre Martel. Le père de Pierre est pêcheur; Gilles connaît bien son bateau, *la Marie-Joseph.* Pierre va souvent en mer avec son père pour l'aider. Il n'a que quinze ans, comme Gilles, mais son teint bronzé et ses bras musclés lui donnent déjà l'air d'un vrai marin. C'est avec lui que Gilles va faire sa première pêche à la sardine.

Gilles n'aime pas cacher° à sa tante et à son oncle ce qu'il fait, mais il a tellement peur qu'ils ne l'empêchent de partir qu'il a décidé de ne rien dire avant d'être revenu.

cacher : *to hide*

A l'heure dite, il est debout et habillé. Il a mis ses blue-jeans et un gros pull-over. Il se glisse dehors, ses chaussures de tennis□ à la main.

Il fait encore sombre et on distingue à peine les silhouettes□ des bateaux dans le port. Pierre est là, en haut de la petite rue qui descend vers la mer. Ils se dépêchent d'aller rejoindre M. Martel qui les attend au port. Il est en train de vider l'eau de la petite barque qui va les transporter jusqu'à *la Marie-Joseph.*

— Allez, les garçons. Prenez les rames. Voyons si vous saurez vous débrouiller.

En quelques minutes ils amènent° la barque tout contre le bateau de pêche qui n'arrête pas d'osciller□. Tout le monde monte à bord□. Ils sortent du port et sont bientôt en pleine mer. Pierre et son père sont à l'avant; ils observent□ avec attention la mer encore grise. Les premières lueurs du jour apparaissent à horizon. L'eau est calme et transparente. Gilles s'est assis dans un coin, car il ne sait pas très bien que faire, ni ce que ses compagnons□ cherchent à voir et, comme il s'est levé beaucoup plus tôt que d'habitude, il s'endort à moitié.

amener : *to bring, take*

Tout à coup il entend Pierre crier :

— Papa, là, à droite!

— Où ça? dit son père.

— Là, devant, vers la droite.

M. Martel va ramasser le filet° et le laisse glisser lentement dans l'eau. Gilles n'arrive toujours pas à voir ce que Pierre a indiqué à son père. Il ne voit plus le filet, mais il distingue une grande agitation▫ juste à l'endroit où il a disparu.

filet (m) : *net*

— Tu crois que ça y est? demande Pierre.

— Oui, répond son père, vas-y, doucement.

Tous les deux tirent lentement le filet. Une masse bruissante sort peu à peu de l'eau. Quelques minutes après, le pont est couvert de centaines de petites sardines bleues qui s'agitent dans toutes les directions et cherchent à retrouver le chemin de la mer.

— Tiens, dit Gilles, c'est la première fois que je vois un filet bleu. Est-ce qu'ils sont tous comme ça, les filets à sardines?

— Oui, il y en a beaucoup comme ça maintenant, répond M. Martel. On les fait presque toujours bleus parce qu'ils sont moins visibles▫ dans l'eau.

— Mais Pierre, comment est-ce que tu as fait pour savoir qu'il y avait des sardines là?

— C'est facile, quand tu vois un endroit où la surface▫ de l'eau a l'air toute froissée°, tu es sûr qu'il y a des sardines. Regarde, là, à gauche, tu vois comme l'eau a l'air froissée, comme s'il pleuvait. Papa, vite!

froissé : *wrinkled*

Et Pierre et son père rejettent le filet à la mer. Deux heures après il y a tant de sardines sur le pont qu'on ne peut plus faire un pas sans en écraser quelques-unes.

La pêche est finie. Ils peuvent enfin se reposer. Pierre annonce qu'il a faim et il sort[2] de sa poche un sac en papier d'où il tire des tartines de pain beurré. Il attrape une sardine, met dessus quelques grains▫ de sel et l'offre à Gilles.

— Mais elle est crue°!! Je ne peux pas la manger comme ça!

cru : *raw*

— Et les huîtres? Elles sont bien crues quand tu les manges. C'est la même chose.

---

[2] **Sortir** used with a direct object has the meaning "to take out."

C'est vrai. Gilles n'y avait jamais pensé. Il ne veut pas avoir l'air de trop hésiter. Il prend la sardine et mord au milieu avec précaution.

— C'est bon? demande Pierre.

— Ça fait une drôle d'impression, mais ça a un bon goût d'eau de mer.

Gilles mange deux, quatre, cinq sardines. Le père de Pierre le regarde d'un air amusé°, et lui dit :

— Pour quelqu'un qui n'est pas habitué aux choses de la mer, tu commences assez bien. Encore deux ou trois promenades comme celle-ci et je crois qu'on arrivera à faire de toi un vrai marin.

— Vous croyez? dit Gilles. Est-ce que je pourrai revenir, si ça ne vous dérange pas trop?

— Bien sûr. Tu nous aideras. Quand la pêche marche bien, il y a du travail pour trois hommes.

Pendant ce temps, le bateau a changé de direction et on approche du port. Il fait maintenant complètement jour. On passe d'autres bateaux qui rentrent aussi. Il fait beau; Gilles se sent plein de santé et heureux de vivre. Il aimerait recommencer son escapade dès le lendemain.

On est arrivé au port. Une fois sur le quai, Gilles remercie° ses amis et se dépêche de rentrer chez lui. Il monte dans sa chambre sans faire de bruit. Il n'est que sept heures et demie; tout le monde dort encore. Gilles pense qu'il n'aura pas très faim au petit déjeuner. Il faudra qu'il fasse semblant. Mais ce ne sera pas facile parce que les brioches et les sardines crues, ça ne va pas tellement bien ensemble.

remercier : *to thank*

LISETTE NIGOT

QUESTIONS

1. Où habitent l'oncle et la tante de Gilles?
2. Comment Gilles passe-t-il son temps chez eux?
3. Quelle sorte de bateau a-t-il? Qu'est-ce qu'il aimerait avoir un jour?
4. Qu'est-ce que Gilles va faire avec Pierre et son père?
5. Pourquoi est-ce que Gilles ne dit rien à sa tante?
6. Pourquoi est-ce que sa tante ne s'apercevra pas de son absence◻?
7. A quelle heure le père de Pierre veut-il partir pour aller à la pêche?
8. Qu'est-ce que Gilles met pour aller à la pêche?
9. Où est-ce que Pierre attend son ami?
10. Qu'est-ce que M. Martel est en train de faire quand les garçons arrivent au port?
11. Pourquoi Gilles n'est-il pas allé à l'avant avec Pierre et son père?
12. Que fait M. Martel avec le filet?
13. D'après M. Martel, pourquoi est-ce que beaucoup de filets à sardines sont bleus?
14. Comment Pierre reconnaît-il l'endroit où il y a des sardines?
15. Qu'est-ce que Pierre sort de sa poche quand la pêche est finie?
16. Qu'est-ce que Pierre offre à Gilles? Comment est-ce qu'il le persuade d'en manger?
17. Que fait Gilles quand ils arrivent enfin sur le quai?
18. A quoi pense Gilles lorsqu'il monte dans sa chambre?

LA BALEINE DE KER-ARMOR

Vous ne trouverez jamais le nom de Ker-Armor sur les cartes officielles de la Bretagne. Mais, si je vous dis que c'est un petit village situé sur la côte atlantique□, vous devez° me croire... comme vous devez croire tout le reste de cette histoire.

devoir : *to have to*

Ker-Armor a 350 habitants, une belle plage, trois hôtels, cinq restaurants et dix cafés. Vous me direz que c'est beaucoup pour la population□ locale□. C'est vrai. La population locale n'a pas besoin de tout ça. Mais la population locale a besoin d'argent. La pêche n'est pas assez abondante□ et l'agriculture□ est pauvre. Il reste le tourisme... ah, le tourisme! Voilà la solution de tous les problèmes économiques□ des petits villages bretons.

Toute l'année, on prépare les cafés, les hôtels et les restaurants pour la courte° saison d'été. Quand les Parisiens□ arrivent, on se précipite sur eux et on les laisse repartir pour la capitale seulement quand ils ont les poches complètement vides. Les Parisiens sont contents : ils ont passé de belles vacances, ils sont fiers de leur teint bronzé et ils ont dépensé tout leur argent. Les Bretons sont heureux : ils ont les poches pleines.

court : *short*

Parfois, les choses ne vont pas si bien. Il pleut beaucoup en Bretagne, il pleut beaucoup trop. Et si l'été n'est pas beau, les Parisiens s'en vont vers les plages de la Côte d'Azur, et c'est une vraie catastrophe.

C'est là le problème de Ker-Armor : cette année on a construit deux nouveaux hôtels, on a modernisé□ le troisième, on a même ouvert un casino□ et tout cela a coûté très cher; la saison doit absolument couvrir toutes ces dépenses. Malheureusement, dès le mois de mars, on sait que l'été ne sera pas beau. Le Bureau Météorologique□ National□ a annoncé : « Pluies continuelles en Bretagne du mois de juin au mois d'octobre. » On a consulté Mme Cléopâtre, l'astrologue□ de Ker-Armor, qui, après avoir observé ses cartes du ciel, sa boule de cristal▫, et les yeux verts de son chat noir, a tout simplement dit : « Beaucoup d'eau, beaucoup d'eau... ». Mais il reste quelque espoir°, car elle a ajouté : « Ker-Armor verra quelque chose d'extraordinaire et il y aura autant d'argent que de pluie. » Naturellement, elle n'a donné aucune explication.

espoir (m) : *hope*

Les autorités locales du village ont constitué un Comité▫ Spécial Contre la Catastrophe Financière (le CSCCF) et ont demandé à toute la population de Ker-Armor d'envoyer des idées, des suggestions▫ et même de l'argent. Le CSCCF, qui a ouvert un bureau permanent▫ dans une salle du café *A la duchesse▫ Anne* n'a pas reçu un seul franc, mais de nombreuses lettres sont déjà arrivées. Rien de très original ni de très pratique : mettre des télévisions dans les chambres d'hôtel (c'est trop cher); faire venir de Paris une troupe▫ de théâtre (elle ne voudra jamais venir); ouvrir un nouveau restaurant (il y en a déjà trop); organiser▫ des courses de chevaux (il n'y a que deux chevaux et cinq ânes dans tout Ker-Armor)... Non, vraiment, la situation▫ est très inquiétante et la population de Ker-Armor semble n'avoir aucune imagination pratique. Le mois de mars est déjà passé, il ne reste pas beaucoup d'espoir car il faut se dépêcher si l'on veut trouver une solution avant juin.

Et voilà, la solution a été trouvée par le patron du café *A la duchesse Anne.* Il faut vous dire que M. Le Gaënnec a un cousin qui travaille dans un restaurant français de New York et que ce cousin lui a souvent parlé dans ses lettres des trouvailles° étonnantes de la publicité américaine. M. Le Gaënnec s'est dit, en assistant aux discussions du CSCCF : « Ces gens-là n'ont aucune imagination. Ce qu'il faut, c'est trouver une idée sensationnelle, tellement sensationnelle que personne n'y aurait jamais pensé. Mon cousin me dit qu'aux États-Unis, on met des dinosaures▫ dans les garages▫ pour attirer les clients. Un dinosaure, c'est un

trouvaille (f) : *clever idea*

peu gros et je ne crois pas qu'on en trouve aujourd'hui, excepté□ dans les musées. Mais une autre grosse bête ferait tout aussi bien l'affaire. Qu'est-ce qui pourrait faire venir les Parisiens à Ker-Armor même s'il pleuvait? Un éléphant□? Un hippopotame? Non. Ils en ont au Zoo□ de Vincennes, et puis ce sont des bêtes des pays chauds. Il nous faut une grosse bête qui aime l'eau et le froid et qu'on n'ait jamais vue à Paris, même au zoo... une baleine, par exemple. Une baleine, tiens! Et pourquoi pas? Ker-Armor aura sa baleine et moi, Yves-Marie Le Gaënnec, je ferai fortune! »

Le CSCCF a trouvé l'idée curieuse□ mais intéressante. Les autorités ont longuement discuté l'affaire, on a voté□ et, finalement, on a décidé que Ker-Armor aurait sa baleine. M. Le Gaënnec, qui est tout de suite devenu une personnalité□ importante, a immédiatement écrit une lettre à son cousin de New York pour lui demander des conseils et celui-ci° a proposé une grande campagne publicitaire. On a prévu un plan détaillé : invitation□ de journalistes parisiens et étrangers, télégrammes à la radio et à la télévision, rapports scientifiques, interviews de pêcheurs, etc. Ker-Armor ne parle que de baleines... Mais, comme le dit la postière, qui a toujours été plutôt pessimiste□ : « Tout ça, c'est bien joli, mais où est la baleine? »

celui-ci : *the latter*

Voilà Ker-Armor face à un nouveau problème : faut-il avoir une vraie baleine ou peut-on se contenter de parler de baleine? Les Parisiens seront sans doute furieux si nous leur racontons des histoires et, même s'ils viennent cet été, ils ne reviendront plus jamais... on ne peut pas faire le malin très longtemps avec ces gens-là.

Finalement, on a décidé d'avoir une vraie baleine et c'est encore M. Le Gaënnec qui a proposé une idée sensationnelle. On a écrit une lettre au Cirque° Barnum pour lui emprunter une baleine. La lettre est partie par avion et, pendant quelques jours, personne n'a pu dormir à Ker-Armor. M. Le Gaënnec a passé des nuits terribles. « Y a-t-il des baleines dans les cirques? Même dans les cirques américains? Et s'ils ont des baleines,

cirque (m) : *circus*

accepteront-ils de nous en envoyer une? Faudra-t-il l'acheter? Est-ce que ça coûte cher? Comment peut-on transporter une baleine jusqu'ici? Qu'est-ce que nous allons faire de cette bête? Que mange-t-elle? Est-ce que je suis devenu fou? » Il n'a pas arrêté de se poser des questions jusqu'au jour où un télégramme est arrivé des États-Unis : « Sommes prêts à vous louer° une vieille baleine. Stop. Mange plusieurs tonnes□ de poisson par jour. Stop. Conseillons acheter baleine publicitaire en plastique□. Stop. Avons modèle bon marché à vendre. Stop. Cinq cents dollars plus taxes□. »

prêts à vous louer : *ready to rent to you*

Le CSCCF a décidé d'acheter la baleine en plastique. Après tout, les Parisiens ne verront jamais la différence. Est-ce que les Parisiens ont déjà vu une vraie baleine? Ces gens des villes ne connaissent rien aux choses de la nature□...

La baleine a été transportée en avion des États-Unis en Angleterre, puis de là, par bateau jusqu'à Ker-Armor. Ces Américains sont tout de même extraordinaires! La baleine était dans une boîte en plastique, assez petite, avec une pompe□ à air pour la gonfler° comme un simple pneu de bicyclette. Les instructions□ étaient malheureusement en anglais. Mais Mme la Comtesse de Keffelec a étudié cette langue et elle a fait une magnifique□ version pour les techniciens□ du CSCCF.

gonfler : *to inflate*

Tout a très bien marché. Le 3 avril, la baleine gonflée et équipée d'une petite fontaine automatique□ a été installée à un kilomètre de la plage, solidement attachée aux rochers de fond. L'impression était formidable et M. Le Gaënnec a offert du champagne□ à toute la population de Ker-Armor. On a même arrosé la baleine de champagne!

Le lendemain, la Radiodiffusion-Télévision Française a interrompu ses programmes□ réguliers pour faire l'annonce suivante : « Un pêcheur du petit village de Ker-Armor, près de Brest, affirme□ avoir aperçu à quelques kilomètres de la côte une énorme baleine. Nos correspondants□ sont partis par hélicoptère□ pour Ker-Armor et nous pourrons vous donner plus de détails dès qu'ils seront sur place°. »

Le lendemain, tous les journaux ont eu, en première page, un article□ sur la baleine de Ker-Armor et sur les baleines en général. Les trois hôtels, les cinq restaurants et les dix cafés du petit village breton sont pleins de journalistes, de photographes et de visiteurs venus de Brest, de Paris, de Londres, de Rome, de Madrid et de Bonn. On a même annoncé par câble l'arrivée d'un correspondant du *New York Times*. La saison a déjà commencé, bien avant l'été et malgré la pluie et la brume.

Comme l'avait espéré le CSCCF, personne n'a eu le courage d'approcher la baleine de trop près et personne ne s'est rendu compte qu'elle était en plastique. Ils sont vraiment formidables, ces Américains! Et la population de Ker-Armor a bien gardé le secret□.

Depuis, la baleine de Ker-Armor est très à la mode. Les touristes arrivent en masse et il n'y a plus une seule chambre à louer dans les hôtels. M. Le Gaënnec a fait fortune en ajoutant à son menu□ : « Le steak de baleine au° vin blanc » (importé□, c'est très cher) et « Les crevettes à la sauce baleinière ». Il pense ouvrir un nouvel hôtel qu'il appellera *La Baleine aux yeux bleus*. Yann le Bohadec, poète local, a composé□ une chanson spéciale : « Quand ma baleine pousse un soupir ».

« Tout ça, c'est bien joli, a dit la postière, toujours pessimiste, et irritée par un énorme travail supplémentaire, mais si notre secret était découvert? »

Elle est allée voir Mme Cléopâtre, l'astrologue de Ker-Armor qui, elle aussi, a fait fortune après avoir vendu à un journal parisien ses prédictions□ pour « l'Année de la Baleine ». Mme Cléopâtre a annoncé à la postière que le secret serait bientôt découvert, mais que Ker-Armor continuerait à prospérer□.

Le secret a été découvert à la fin du mois d'août. Les plages de la Côte d'Azur, qui perdaient beaucoup d'argent, ont constitué un CSCCF qui a décidé d'en-

sur place : *there on the spot*

à : *with, in*

voyer un agent° à Ker-Armor pour tuer la baleine. Quelle surprise quand son couteau a fait un trou dans le plastique!

Le lendemain, tout le monde riait... comme des baleines°. Seuls quelques touristes de mauvaise humeur ont repris le train pour Paris. Mais Mme Cléopâtre avait raison. Ker-Armor a continué à faire fortune. Les touristes y viennent toute l'année pour voir le monument de la baleine; la radio et la télévision s'intéressent toujours au petit village breton; on a écrit plusieurs livres et on a même fait un film sur cette histoire.

rire comme une baleine : *to laugh one's head off*

M. Le Gaënnec s'ennuie à Ker-Armor depuis qu'il est millionnaire. Il est naturellement fier d'avoir pensé à la baleine, mais il faut trouver autre chose. D'ailleurs il a reçu un télégramme d'une agence publicitaire de New York qui lui propose un contrat fantastique°. Il a envie d'aller faire un tour° là-bas et d'étudier la possibilité de mettre des hippopotames dans le désert° du Nevada.

faire un tour : *to take a trip*

Naturellement, vous trouvez cette histoire un peu trop fantaisiste. Moi aussi. Mais ce n'est pas moi qui l'ai inventée°. On me l'a racontée hier à Marseille. Et vous connaissez les Marseillais! Ils ont beaucoup d'imagination.

NELLY MARANS

QUESTIONS

1. Où se trouve le village de Ker-Armor? Est-ce qu'il existe vraiment?
2. Décrivez le village de Ker-Armor.
3. De quoi est-ce que Ker-Armor a besoin?
4. Quelle est la solution des problèmes économiques des villages bretons?
5. Qu'est-ce qu'on fait pendant l'année dans ces petits villages?
6. Pourquoi est-ce que les Bretons sont contents à la fin de l'été? Pourquoi les Parisiens sont-ils tout aussi contents?
7. Pourquoi est-ce que c'est une catastrophe si l'été n'est pas beau?
8. Pourquoi est-il très important pour Ker-Armor d'avoir une bonne saison cette année?
9. Comment sait-on que l'été ne sera pas beau?
10. Pourquoi est-ce que tout n'est peut-être pas perdu?
11. Qu'est-ce que les autorités locales ont fait?
12. Quelles suggestions les habitants de Ker-Armor ont-ils envoyées au CSCCF?
13. Quelle est la solution de M. Gaënnec? Comment en a-t-il eu l'idée?
14. A qui a-t-on écrit pour essayer de trouver une baleine?
15. Pourquoi a-t-on décidé d'acheter une baleine en plastique?
16. Comment la baleine a-t-elle été transportée jusqu'à Ker-Armor?
17. Quelle publicité la baleine a-t-elle reçue?
18. Pourquoi est-ce que personne ne s'est aperçu que la baleine était en plastique?
19. Qu'est-ce qui montre que la baleine est très à la mode?
20. Comment le secret a-t-il été découvert?
21. Pourquoi le village de Ker-Armor a-t-il continué à être un endroit à la mode?
22. Pourquoi M. Gaënnec pense-t-il aller aux États-Unis?

LE JOURNAL DU CAPITAINE PETITPAS

20 mars 2099. Il m'est arrivé quelque chose d'extraordinaire, de sensationnel, d'unique□ ! Moi, Pierre-André Jules Petitpas, j'ai découvert une planète! Personne ne l'avait trouvée avant moi, ni les savants° avec leurs télescopes□ ultra-modernes, ni les explorateurs□ les plus audacieux. Et pourtant, c'était facile.

savant (m) : *scientist*

Je suis un homme très simple et, jusqu'à présent□, ma vie a été très calme et même un peu monotone. Je suis né à Paris en 2063, j'ai fait mes études à l'École Nationale de Navigation□ Spatiale□ et, après avoir obtenu mon diplôme□ de pilote□, j'ai travaillé pendant vingt ans sur la ligne Terre-Mars□, transportant du parfum□ Lanvin-Espace, du pâté de fois gras[1] en boîte° et du champagne pour les grands magasins de la colonie□ américaine. Depuis trois ans, je suis capitaine du *Parisien* et responsable de dix hommes. C'est un travail régulier, pas très fatigant, bien payé, mais rien de très intéressant...

en boîte (f) : *canned, in cans*

Mais hier les choses ont changé brusquement. Nous étions en route pour Mars lorsque nous avons été pris dans un orage de rayons cosmiques□. A cause de l'orage, les instruments□ ne donnaient plus aucune indication□ : impossible de déterminer□ notre position. Il n'y avait pas d'autre chose à faire que d'atterrir° quelque part le plus tôt possible.

atterrir : *to land*

Trente-cinq minutes plus tard, le navigateur□ est venu me dire que le radar indiquait la présence□ d'une masse non identifiée□. Nous n'avions pas le choix : quelques minutes plus tard nous avons atterri sans incidents□ sur une planète qui paraissait tout à fait habitable□. Elle ressemblait beaucoup à la Terre : des arbres, des feuilles

---

[1] **Le pâté de foie gras,** a specially prepared goose liver paste, is an expensive French delicacy.

vertes, un soleil chaud et sympathique. L'atmosphère y était normale□. Mais il y avait dans tout cela quelque chose de bizarre, oh très peu de chose, presque rien, de très petits détails que ceux qui n'ont jamais quitté la Terre n'auraient pas remarqués, mais qui ne pouvaient pas échapper à° un vieux capitaine comme moi qui a voyagé dans tous les secteurs□ du système solaire□. J'ai regardé mes cartes, j'ai appelé Paris, j'ai transmis tous les renseignements que les instruments me donnaient : personne ne savait où je me trouvais. Il n'y avait plus de doute : c'était une planète inconnue.

échapper à : *to escape*

22 mars. Aucun doute, j'ai découvert une nouvelle planète. J'ai décidé de l'appeler « Marsette » et j'ai demandé à mon gouvernement□ l'autorisation□ de l'explorer avant de revenir sur Terre. Paris a appelé les Nations Unies et tous les grands observatoires□ de l'univers□. Personne ne connaît ma planète. *L'Encyclopédie□ Universelle□ Larousse du XXIe siècle* ne la mentionne□ pas. Mais elle existe, c'est un fait°. Et je vais l'explorer.

fait (m) **:** *fact*

25 mars. Paris m'a donné l'autorisation nécessaire et demande des rapports réguliers et détaillés. Mais on ne me dit pas comment il faut faire pour explorer une planète, il faut que j'improvise□. J'ai laissé deux hommes et un robot□ à bord du *Parisien* et je suis parti avec huit hommes, trois robots et des provisions de pâté de foie gras et de vin blanc. J'ai aussi emporté un peu de parfum. Qui sait? Nous rencontrerons peut-être des hommes ou des créatures□ humanoïdes□. Quelques bouteilles de Lanvin-Espace ou de vin blanc pourraient aider à établir° le contact□.

établir : *to establish*

26 mars. Cette planète est vraiment très agréable. Les journées ont vingt-quatre heures; l'air est si pur□ et si abondant que nous n'avons pas besoin de nos appareils à oxygène□; la végétation□ est verte et nous avons vu quelques petits animaux qui ressemblent énormément à ceux que l'on voit en France. C'est vraiment dommage que je l'aie appelée Marsette car elle ne ressemble en rien à la planète Mars. Mais c'est trop tard. Mon gouvernement a déjà utilisé ce nom dans son rapport aux Nations Unies, et je ne peux plus le changer.

27 mars. Cette exploration est vraiment facile. Jusqu'à présent nous n'avons rencontré aucune créature humanoïde, et pourtant, nous avons beaucoup marché. Tous les soirs, nous allumons un feu de camp et nous faisons rôtir quelques lapins que nous mangeons en buvant° un verre de vin d'Alsace. Nous gardons le contact avec *le Parisien* et le gouvernement, et nous envoyons des rapports très précis aux deux. Malheureusement nous n'avons rien de sensationnel à communiquer.

en buvant : *while drinking*

29 mars. Enfin! Nous avons rencontré des bipèdes□. Ce matin, nous prenions notre petit déjeuner lorsque nous avons entendu du bruit venant du petit bois qui entoure notre camp. Après avoir fini de manger nos brioches synthétiques□, nous sommes partis faire une reconnaissance□ des lieux et, tout à coup, nous avons aperçu deux bipèdes assis au pied d'un arbre.

Ils ressemblaient beaucoup à des hommes : grands, blonds, les yeux clairs, le visage rougi par le soleil. Mais ils portaient des vêtements bizarres, un peu comme ceux qu'on portait au vingtième siècle. Ils mangeaient du fromage et du pain et buvaient du cidre. (Tout cela, nous l'avons vérifié□ plus tard.) Nous leur avons fait signe, mais ils ont continué à manger sans faire attention à nous.

Je leur ai adressé la parole° en français, puis en anglais, puis en franglais[2] qui est, comme tout le monde le sait, la langue universelle des voyageurs de l'espace.

adresser la parole : *to speak*

[2] **Franglais** is spoken or written French which contains a high proportion of English words or expressions, such as **living-room** and **snack bar.**

Aucune réaction▫. Au bout d'un certain temps, ils ont prononcé quelques mots inintelligibles▫, mais certainement pas très aimables. Nous n'avons pas insisté et nous sommes retournés au camp. Des siècles d'expérience▫ nous ont appris qu'il faut être patient▫ avec les représentants des civilisations▫ étrangères. D'abord il nous fallait apprendre la langue des bipèdes. Ensuite, leur faire comprendre que nous n'étions pas des ennemis▫. L'essentiel▫ était de ne pas les vexer°. Si seulement ils aimaient le vin blanc et le pâté de foie gras, cela simplifierait▫ les choses. J'ai appelé Paris qui, comme d'habitude, veut des détails supplémentaires▫ avant de nous donner des instructions.

vexer : *to hurt (someone's feelings)*

30 mars. Ce matin, je suis allé dans le petit bois avec le professeur▫ René Jolicœur de l'Académie Française[3], spécialiste de linguistique▫ et de civilisation du Système Solaire, le seul passager du *Parisien,* qui allait assister à un congrès▫ interplanétaire▫ de linguistes sur Mars. Les autres sont restés au camp, très inquiets. Ils pensent que je prends trop de risques▫. Les deux bipèdes étaient là, au même endroit. Je leur ai dit bonjour, mais ils ne m'ont même pas regardé. Alors j'ai mis une boîte de notre meilleur pâté de foie gras et une bouteille de vin blanc sur l'herbe° et j'ai attendu. Au bout de quelques instants, le plus jeune des bipèdes a tourné la tête, a regardé la boîte et a dit quelque chose que je n'ai pas compris. Le professeur Jolicœur, spécialiste de linguistique, dit qu'il a entendu quelque chose comme ceci : « Et comment c'que j'l'ouvr' cte boit'? » ce qui d'après lui voulait dire en français : « Comment est-ce que je l'ouvre, cette boîte? »

herbe (f) **:** *grass*

Le professeur est très excité. Il croit reconnaître dans

[3] **L'Académie Française,** founded in 1635, is a society of French writers. Its activities include review and revision of its own dictionary of the French language and the awarding of literary prizes. It is considered to be the ultimate authority on "correct" usage. Membership in the **Académie** is limited to forty and is elective.

la langue que ces bipèdes parlent une forme de vieux français. Il construit là-dessus des hypothèses□ absurdes□. Ces grands savants sont souvent un peu naïfs□.

Nous avons décidé de laisser aux bipèdes le pâté de foie gras et de revenir au camp pour ne pas provoquer□ de réactions hostiles□.

31 mars. Je n'ai pas pu dormir. Toute la nuit, le professeur Jolicœur et moi avons discuté du language des bipèdes de Marsette. Jolicœur est persuadé que c'est du vieux français. Il voulait me faire accepter l'idée d'une ancienne colonie française sur Marsette, disparue depuis des siècles, mais ayant° laissé derrière elle des traces de sa langue. Nous avons pris contact avec Paris. D'après eux, les archives□ ne révèlent□ aucune trace d'une ancienne planète à cet endroit.

ayant : *having*

1er avril. Catastrophe! Ce matin, les bipèdes sont venus au camp, accompagnés d'une autre créature qui portait une sorte d'uniforme bleu et avait un air officiel. Cet humanoïde nous a adressé la parole dans un dialecte□ que le professeur Jolicœur n'a eu aucune difficulté à interpréter□, et nous a dit que nous nous étions installés sur la propriété des deux bipèdes qui sont, d'après lui, messieurs Blotas et Épinaud, fermiers. J'ai répondu que j'allais appeler Paris pour instructions. Les bipèdes ont répondu (traduction expurgée□ du Professeur Jolicœur) : « Paris, nous nous en moquons°! Nous, en Normandie, nous voulons qu'on nous laisse tranquilles. Paris a oublié que nous existons : très bien. Paris préfère s'occuper de Mars et de Vénus□ : tant mieux. Nous n'avons pas besoin de Paris. Nous n'allons pas vous ennuyer chez vous, alors ne venez pas nous ennuyer chez nous. Nous vous prions de bien vouloir[4] retourner là d'où vous venez. Le plus tôt sera le mieux. »

nous nous en moquons : *we couldn't care less*

[4] **Nous vous prions de bien vouloir...** is an expression of courtesy commonly used in official letters, application forms, and the like. Its closest equivalent is "You are kindly requested . . ."

20 mai. Je suis déshonoré▫ depuis cette affaire de Marsette. Ce n'est tout de même pas de ma faute si *le Parisien* ne marchait pas bien et si j'ai fait une petite erreur▫ de calcul. Cela peut arriver à tout le monde.

Je ne suis plus capitaine : je travaille comme pilote à bord du *Sarcelles*, un vieux cargo° de cinq tonnes, construit en 2050. Je transporte du vin de Bourgogne en poudre dans Saturne. Quelle vie!

cargo (m) : *cargo ship*

NELLY MARANS

QUESTIONS

1. Que faisait le capitaine Petitpas avant de devenir capitaine du *Parisien*?
2. Comment décrit-il son travail à bord du *Parisien*?
3. Où allait *le Parisien* quand il a été pris dans l'orage? Pourquoi était-il impossible de déterminer sa position?
4. Qu'est-ce que le capitaine Petitpas a décidé de faire?
5. Décrivez la planète sur laquelle ils atterrissent.
6. Pourquoi le capitaine croit-il qu'il a découvert une nouvelle planète? Comment décide-t-il de l'appeler?
7. Qu'est-ce que le capitaine demande à son gouvernement?
8. Qui accompagne le capitaine quand il va explorer la planète? Qu'est-ce qu'il emporte? Pourquoi?
9. Pourquoi aimerait-il changer le nom de la planète? Pourquoi ne peut-il pas le faire?
10. Que font le capitaine et ses hommes tous les soirs?
11. Où rencontrent-ils des bipèdes?
12. Décrivez les bipèdes.
13. Qu'est-ce qui arrive quand le capitaine essaie de leur parler?
14. Qui est le professeur Jolicœur? Pourquoi est-il si excité?

15. Comment le capitaine essaie-t-il d'établir le contact avec les bipèdes? Pourquoi décide-t-il de revenir au camp?
16. Quelle théorie le professeur avance-t-il sur l'origine du langage des bipèdes?
17. Qui vient au camp le 1er avril?
18. Qui sont les bipèdes?
19. Sur quelle planète le capitaine Petitpas se trouve-t-il en réalité? A quel endroit?
20. Quelle sorte de travail le capitaine Petitpas fait-il maintenant?

LES MÉMOIRES° D'UN CHAT PARISIEN

Je suis né à Paris, de mère et de grand-mère parisiennes. De mon père, je ne peux rien dire. D'où venait-il? Où allait-il? Ma mère elle-même l'a toujours ignoré°. Nous les chats, nous ne connaissons généralement que nos ancêtres° féminins. Ma mère se souvenait seulement qu'il était beau, fier et même un peu arrogant°. Elle se plaisait à répéter° dans mon enfance que je lui ressemblais beaucoup. Ce qu'il y a de sûr, c'est que j'ai hérité de lui le goût de la vie nomade° et de l'aventure.

ignorer : *not to know*

Donc, vous disais-je, je suis né à Paris. J'y ai vécu° jusqu'à ces dernières années. J'ai d'abord habité près du Louvre. C'est un quartier délicieux pour un chat : le jardin des Tuileries pour les promenades sentimentales°, les marchés à deux pas pour faire ses courses, et des pigeons° partout pour la chasse (je dois vous dire que la chasse aux pigeons a toujours été mon sport favori). J'étais heureux comme un poisson dans l'eau; je ne manquais de rien, c'était la belle vie. Mais un jour le Gouvernement a décidé que les pigeons étaient des indésirables°. On les a donc chassés° de Paris par milliers et on les a envoyés en exil° dans le nord de la France. Quel était leur crime? On leur reprochait° d'être sales et de ne pas respecter° les monuments de Paris, parce que parfois il se perchaient° sur le nez de Jeanne d'Arc ou s'endormaient dans le chapeau° d'Henri IV. Sans pigeons la vie manquait de charme. J'ai donc décidé d'aller vivre à Montmartre où j'avais de la famille. Je n'ai pas beaucoup d'admiration° pour le Sacré-Cœur. Ses coupoles inspirées° par une mégalomanie[1] de pâtissier me déplaisent profondément : je les

j'ai vécu : *I lived*

chapeau (m) **:** *hat*

---

[1] **La mégalomanie** (megalomania) is a mental disorder characterized by delusions of grandeur or the desire to do great things.

trouve de très mauvais goût. Je ne fréquente° pas non plus les night-clubs : l'odeur du whiskey me rend malade, et puis, il y a toujours trop de monde, on vous pousse, on vous bouscule, on vous marche sur la queue°... Je laisse ces amusements futiles° aux touristes sans imagination. Moi, ce que j'aime à Montmartre, ce sont les rues, le marché de la rue Lepic, les cris des marchands, l'odeur de pain chaud qui sort des boulangeries, celle de viande rôtie qui vient des charcuteries. C'est là, sur les marchés de Montmartre, qu'on entend le vrai français, évidemment pas le français de l'Académie Française, toujours en retard d'un siècle sur la langue des Parisiens. Vous n'êtes jamais allé un jeudi après-midi à l'Académie Française? Non? Eh bien, imaginez une assemblée° de vieux messieurs en habit vert[2] qui discutent, rediscutent et re-rediscutent pendant deux heures sur le sens° du même mot. Les jours de grande inspiration, ils arrivent péniblement à définir° un mot dans un après-midi. Alors, ils s'applaudissent, ils se congratulent° : « Mon cher ami, vous avez été génial° aujourd'hui... » « Oh, mon cher, moins que vous, beaucoup moins... » « Ah! cher, très cher ami, laissez-moi vous serrer la main... » Et les habits verts, satisfaits de leur travail, ferment le dictionnaire jusqu'à la semaine suivante. Ils y travaillent depuis des siècles chaque jeudi à la même heure. Voilà comment les hommes perdent leur temps. Et ils appellent cela la civilisation!

queue (f) : *tail*

génial : *brilliant*

Ne croyez pas que je passais tous mes jeudis après-midi à l'Académie Française. J'y allais de temps en temps quand je n'avais rien d'autre à faire. Je pensais écrire un livre sur l'évolution° des techniques° lexicographiques° dans la première moitié du XXe siècle. Je prenais quelquefois des notes, mais je dois dire que

---

[2] **L'habit vert** refers to the traditional outfit which the members of the **Académie Française** wear during their weekly sessions. It consists of a full-dress suit with green embroidery on the jacket, a two-cornered hat, and a sword.

mon étude n'a jamais été terminée parce qu'il m'arrivait souvent de m'endormir d'ennui.

Mais ceci est une autre histoire. Je disais donc que je suis allé m'installer à Montmartre. Mon cousin n'était pas le type□ de chat bohème□ que vous imaginez. Il avait été longtemps concierge de la bibliothèque du quartier et il vivait entouré de vieux livres. C'était un vieux sage□ qui avait amassé□ une vaste□ culture□, mais qui devenait facilement ennuyeux quand il commençait à discuter des auteurs° nord-africains du IIe siècle. C'était très instructif□ mais je préférais faire mon éducation à l'école de la rue.

auteur (m) : *author*

Je passais mes journées avec les chats des marchands, ceux des concierges, ceux qui n'avaient pas de patron et pas de domicile□ fixe. Les chats les plus vieux et les plus vénérables□ nous donnaient des leçons. Ils nous apprenaient la psychologie□ et le langage des Parisiens. Ils nous expliquaient comment survivre□ dans la jungle□ parisienne. La plupart° des cours qu'ils nous donnaient étaient essentiellement pratiques. Ils nous apprenaient par exemple l'art de se glisser dans une boucherie et de profiter de l'instant où l'employé avait le dos tourné pour choisir le bout de viande le plus tendre□. Ils nous apprenaient aussi à évaluer□ la qualité□ d'un gigot ou d'un rôti. Le vendredi ils nous emmenaient chez le marchand de poissons du coin. Nous prenions tout notre temps pour choisir parce que l'odeur du poisson et la discussion étaient toujours savoureuses.

plupart (f) : *most*

— Comment? Il n'est pas frais° mon poisson? Du hareng de première qualité! Du hareng qui hier encore nageait en plein océan!

frais : *fresh*

— Votre hareng, il a l'œil pâle□.

— Ça alors! J'ai autre chose à faire que de regarder la couleur de leurs yeux, ma petite dame.

— Vous pouvez dire ce que vous voulez, il n'a pas l'air très catholique, votre hareng (ce qui voulait dire que le poisson ne lui inspirait aucune confiance□).

— Catholique? Catholique? Qu'est-ce que vous voulez que ça me fasse° qu'il soit catholique on non. Nous sommes en république□. La liberté religieuse, c'est dans la Constitution□. Si vous tenez à de la marchandise baptisée□, allez chez le marchand de vin d'en face, parce que son vin, ça vous pouvez être tranquille, il le baptise, lui (ce qui voulait dire que le marchand ajoutait de l'eau au vin qu'il vendait).

qu'est-ce que vous voulez que ça me fasse : *what do I care*

— Et le crémier alors! Vous croyez qu'il ne le baptise pas, son lait?

— Oh, le crémier, il peut faire ce qu'il veut. Il faut être malade pour boire du lait!

(Je dois vous dire que je ne partage° pas cette opinion□. Vous savez, même un chat français préfère un bol de lait au plus prestigieux□ Bourgogne.)

partager : *to share*

— Bon, vous me servez, oui ou non? Je suis pressée et je perds mon temps à écouter vos discussions. Alors, donnez-moi de la morue, car vous pouvez dire tout ce que vous voulez, vos harengs, il y a au moins deux semaines qu'ils ont été pêchés.

— Personne ne vous oblige à en acheter. D'ailleurs, vous n'avez qu'à les pêcher vous-même, si vous n'êtes pas contente.

Les gens riaient. Pendant ce temps-là, nous nous faisions une opinion sur la qualité et la fraîcheur des poissons.

On apprend beaucoup de choses dans la rue. J'ai rencontré ici en Amérique des chats de meilleure éducation et de race plus pure, des chats qui dormaient sur des livres de latin, des chats de concierges d'université□, des chats qui sortaient d'écoles privées□ et miaulaient° en plusieurs langues, des chats qui couchaient dans les bibliothèques et connaissaient la constitution américaine, des chats qui avaient des complexes et allaient une fois par semaine chez le psychiatre□, comme les dames des quartiers chics à Paris, mais pas un, sans me vanter, qui connaisse la vie comme mes amis de Montmartre.

miauler : *to meow*

La nuit, nous partions en expédition dans Montmartre, nous chassions les rats□ jusque sous les voitures, nous donnions des concerts dans les cours et les jardins. Ils n'étaient pas toujours très distingués, mes amis,–c'étaient de simples chats du peuple, avec les oreilles déchirées,–mais ils avaient cette voix de violoncelle° qui a fait le succès□ d'Édith Piaf[3]. Quelles voix remarquables□ ! Vous n'en entendrez pas de pareilles au Conservatoire□. Pendant les nuits chaudes du mois d'août, nous miaulions sous les fenêtres des Parisiens endormis des chansons sentimentales et des sérénades□ mélancoliques□. Évidemment parfois on nous arrosait, ce qui prouve□ que les hommes n'ont pas l'oreille aussi délicate que nous, et ne comprennent rien à l'art vocal□.

violoncelle (m) : *cello*

Un vieux chat qui avait vu le monde, traversé des océans, visité les repaires des lions en Afrique (quand les lions n'y étaient pas, bien sûr), mangé de l'hippopotame en Égypte□ et chassé la souris° blanche en Chine□ nous donnait des cours de géographie. Il avait été longtemps dans la marine marchande, et avait passé le meilleur de sa vie sur des bateaux. Les jours de pluie où, mélancoliques, nous regardions les toits gris de Paris, il nous faisait le récit de ses aventures. Ses yeux s'allumaient quand il parlait des épaisses forêts de l'Amérique du Sud, des larges rivières de la Chine, des chutes du Niagara et des rapides de l'Amazone□. Mais c'était surtout quand il racontait ses aventures aux États-Unis que je sentais monter en moi l'envie de partir. Il disait qu'il y avait des édifices aussi hauts que la Tour Eiffel où vivaient des chats de luxe□ qui ne travaillaient pas de leurs pattes°, qui dormaient sur des couvertures en satin□ et partaient en week-end dans des Cadillac ou des Lincoln avec chauffeur et téléphone. Moi, j'étais fatigué de la vie difficile des rues de

souris (f) : *mouse*

patte (f) : *paw*

[3] **Édith Piaf** (1915-1963) was one of France's best known singers of popular songs. Her husky voice and her natural talent for dramatic interpretation gave her a unique singing style.

Paris, fatigué de dépenser toute mon intelligence▫ pour me procurer▫ un misérable▫ déjeuner. Le confort américain m'attirait, j'ai donc décidé d'émigrer.

Mais comment partir? On m'avait suggéré l'auto-stop. Il paraît qu'on attend au bord de la route et on agite la patte; mais ce doit être fatigant et peu sûr. On ne sait jamais où on va arriver, ni sur qui on peut tomber°. Je ne tenais pas à finir ma vie rôti ou sauté▫ et servi avec des tomates et des olives▫. On s'endort dans une voiture et on se réveille au Paradis▫. Moi, je n'étais pas pressé de visiter le Paradis; ce qui m'intéressait c'étaient les États-Unis. De toute façon, l'auto-stop pour traverser l'Atlantique, c'était une idée originale mais peu pratique. Il fallait trouver autre chose. Mais avant de penser aux détails du voyage, je devais m'occuper d'une question vitale▫ : j'ai toujours eu le vertige°. S'il faut habiter au soixantième étage, ça peut être dangereux. J'ai donc commencé par monter au sommet d'un arbre, puis je suis allé sur le toit d'une maison, et enfin sur celui d'une église. Je me forçais à regarder en bas, et peu à peu je m'habituais à voir la vie de très haut. Au bout d'un mois les grandes altitudes ne me faisaient plus peur, et ça m'amusait même de voir les hommes pas plus grands que des souris. J'étais prêt à émigrer et j'avais un plan. C'était simple : il fallait qu'un touriste, un touriste américain bien sûr, m'adopte▫. Une femme, c'était plus facile. Elles ont le cœur° plus tendre. Comment reconnaître, me demanderez-vous, une femme américaine des autres femmes, dans une ville de cinq millions d'habitants? J'ai ma théorie sur la question. Nous les chats français, nous avons toujours beaucoup d'idées. Depuis Descartes, nous pensons, nous pensons pour être[4]. C'est la vocation▫ des Français, des chats d'ailleurs beaucoup plus que des hommes. Nous sommes

sur qui on peut tomber : *whom one may run into, encounter*

avoir le vertige : *to feel dizzy in high places*

cœur (m) : *heart*

[4] **René Descartes** (1596-1650) was a French mathematician, physician, and philosopher. The line from his writings which is best known is translated "I think, therefore I am."

philosophes□ de naissance. Je vais vous expliquer ma théorie. En regardant du sommet des arbres les têtes qui passaient sous moi, j'ai compris l'importance des chapeaux pour reconnaître la nationalité□ d'une touriste. Les Françaises ne portent généralement pas de chapeau, excepté les vieilles dames qui en mettent un pour aller à la messe le dimanche — un chapeau noir ou gris, sans intérêt. Un chapeau vert, c'est irlandais°. Un chapeau lilas□ avec des camélias□, anglais ou américain. Plus il y a de fleurs, de fruits, d'oiseaux, de choses excentriques, plus vous pouvez être sûr qu'il est américain. Je ne regardais plus les têtes, les visages, je voyais seulement les chapeaux. Pendant deux jours j'ai suivi dans tout Montmartre un chapeau extrêmement compliqué, lilas et vert, un peu ridicule mais charmant. Au bout de deux jours, le chapeau m'a adopté. Il était new yorkais, exactement ce que je cherchais. Dix jours plus tard nous prenions le bateau ensemble pour New York. « Oh, dear Pussy Cat... My poor little cat... » disait-il, et beaucoup d'autres choses gentilles aussi, si j'en juge□ par l'intonation□. Moi je miaulais : « Yes... Yes... », mais je ne comprenais pas un mot. La vieille dame qui était sous le chapeau lilas et vert s'est vite rendu compte de mon ignorance□. Alors, comme elle aimait la conversation, elle s'est mise à étudier le français. Elle avait, et elle a toujours, un très mauvais accent, mais je lui miaulais des encouragements. Il faut être indulgent□ avec les vieilles dames solitaires qui apprennent tard dans leur vie à aimer et à parler le français.

irlandais : *Irish*

Maintenant j'écris mes mémoires. Que voulez-vous faire d'autre quand on habite comme moi entre quatre murs. Oh, je ne me plains pas°. C'est un bel appartement, un authentique□ appartement américain avec tout le confort moderne, mais au bout d'un certain temps on commence à s'ennuyer. Quand on a cassé tout ce qui pouvait être cassé, déchiré tout ce qui pouvait être déchiré, quand on a regardé pendant des

se plaindre : *to complain*

heures les automobiles□ jaunes, blanches, rouges, vertes ou bleues dans Broadway et écouté les sirènes□ de la police, il n'y a plus grand-chose à faire. Moi qui avais l'habitude de me promener dans les rues de Paris jusqu'à deux ou trois heures du matin... si j'étais sorti même dix minutes, cela aurait été la fin du monde! Il faut dire que dans un sens c'est assez pratique d'être adopté, on n'a plus besoin de s'en faire, le dîner est servi à heures régulières, on mange dans une assiette°, et même dans une assiette propre, on boit du lait pasteurisé□ parce que c'est bon pour la santé, mais on mange sans faim, on boit sans soif, on dort sans avoir sommeil. Moi qui ne mange maintenant que de la viande achetée toute préparée chez le marchand, je pense souvent avec nostalgie□ aux temps heureux où gagner mon bifteck était une aventure.

assiette (f) : *plate*

Mais voilà! Finies les aventures. Je suis new yorkais, j'habite au dixième étage d'un édifice ultra-moderne, je regarde à la télévision les aventures des autres, je suis sédentaire□, je dors de plus en plus. De New York, je connais seulement ce que je vois de la fenêtre, je n'ai visité ni l'Empire State Building, ni Wall Street, ni Chinatown. Mes amis parisiens diraient que j'ai fait fortune, que j'ai une vie de luxe, mais ce luxe est bien monotone.

Après un an de cette vie j'étais devenu mélancolique et ma maîtresse□ pensait m'emmener consulter un psychiatre, quand un jour j'ai découvert sur la table une machine à écrire° électrique□. J'y ai mis une patte prudente et curieuse. C'était extraordinaire, ça écrivait comme dans les livres. Ma maîtresse était absente□. Je me suis installé, j'ai hésité un peu d'abord, puis j'y ai mis les quatre pattes. Si vous aviez vu cela! En un clin d'œil j'avais écrit ma première page dans l'enthousiasme de la création□ artistique□. C'est comme cela que j'ai commencé ma carrière□ littéraire□. Écrire mes mémoires, je n'y avais jamais pensé avant, car j'avais toujours eu horreur□ d'écrire à la main. J'ai ce qu'on ap-

machine (f) **à écrire** : *typewriter*

pelle une écriture de chat[5]. Mais parlez-moi de la machine à écrire électrique! La littérature devient un jeu° d'enfant! Depuis ce jour-là, chaque nuit, j'attends l'inspiration. Elle me vient vers trois heures du matin. Évidemment c'est un peu tard. La première fois ma maîtresse a protesté. Il paraît que je l'empêchais de dormir. Pourtant les machines électriques ne font pas beaucoup de bruit. Elle a ensuite caché la machine, mais je l'ai bien vite trouvée; alors elle a dit qu'elle en avait besoin pour faire sa correspondance□. Dieu sait ce qu'elle a pu inventer pour étouffer mon talent□. Mais finalement elle a dû céder°. Elle s'est acheté une nouvelle machine et elle m'a laissé la vieille. Je crois que maintenant elle est assez fière de mon talent. Elle suit avec attention les progrès de mon livre. Elle m'a dit que j'écrivais presque aussi bien que Simone de Beauvoir[6] qu'elle admire beaucoup. Cela m'a donné l'idée d'appeler mon livre *Les Mémoires d'un chat rangé.*

jeu (m) : *game*

céder : *to give in*

NICOLE MARCHAND

---

[5] **Une écriture de chat,** literally the "handwriting of a cat," means an illegible scrawl.

[6] **Simone de Beauvoir** (1908–) is one of France's foremost contemporary women authors. Her autobiographical works include **Les Mémoires d'une jeune fille rangée,** published in English as *The Memoirs of a Dutiful Daughter.*

QUESTIONS

1. Que sait le chat de ses ancêtres féminins? Que sait-il de son père?
2. Dans quelle ville le chat a-t-il vécu jusqu'à ces dernières années? Dans quel quartier a-t-il d'abord habité? Pourquoi s'y plaisait-il?
3. Pourquoi a-t-on chassé les pigeons de Paris?
4. Pourquoi le chat a-t-il décidé d'aller vivre à Montmartre?
5. Qu'est-ce qu'il n'aime pas à Montmartre? Pourquoi? Qu'est-ce qu'il aime?
6. D'après lui, comment les membres de l'Académie Française passent-ils leur temps?
7. Comment vivait son cousin de Montmartre?
8. Avec qui le chat passait-il son temps à Montmartre? Qu'est-ce que les vieux chats apprenaient aux jeunes?
9. Où allaient-ils le vendredi? Pourquoi est-ce qu'ils aimaient y rester longtemps?
10. Pourquoi la cliente du poissonnier ne veut-elle pas acheter de harengs?
11. Qu'est-ce que le poissonnier veut dire quand il dit que le marchand de vin « baptise » son vin?
12. Que faisaient les chats la nuit? Qu'est-ce qui prouve que les hommes n'ont pas l'oreille aussi délicate que les chats?
13. Qui est-ce qui leur donnaient des leçons de géographie? De quoi parlait-il?
14. Comment décrivait-il les États-Unis? De quelle ville parlait-il?
15. D'après leur professeur de géographie, comment vivent les chats américains?
16. Pourquoi le chat a-t-il décidé d'émigrer? Pourquoi décide-t-il de ne pas faire de l'auto-stop?
17. Pourquoi était-il dangereux pour lui d'habiter au soixantième étage? Comment s'est-il habitué à voir la vie de très haut?

18. Quel plan a-t-il inventé pour émigrer aux États-Unis?
19. Comment reconnaît-il la nationalité des touristes?
20. Comment a-t-il réussi à partir pour les États-Unis?
21. Pourquoi la vieille dame a-t-elle décidé d'étudier le français?
22. Où le chat habite-t-il maintenant? Décrivez l'appartement.
23. Comment passait-il son temps au début? Pourquoi s'ennuyait-il?
24. D'après lui, pourquoi est-ce qu'il est pratique d'être adopté? Pourquoi se plaint-il?
25. Pourquoi sa maîtresse pensait-elle l'emmener consulter un psychiatre?
26. Comment le chat a-t-il commencé sa carrière littéraire? Pourquoi a-t-il toujours eu horreur d'écrire à la main?
27. Pourquoi sa maîtresse a-t-elle protesté? Qu'est-ce qu'elle a fait pour l'empêcher d'écrire?
28. Qu'est-ce qu'elle a finalement été obligée de faire?
29. Qu'est-ce que le chat est en train d'écrire? Comment est-ce qu'il va appeler son livre?

L'AUTO-STOP[1]

La voiture roule sur la Nationale 8. L'homme conduit° vite mais bien. Martine et Paula s'endorment presque à l'arrière de la D.S[2]. Elles ont quitté Paris il y a deux jours et vont passer leurs vacances sur la Côte d'Azur. Pour faire des économies, elles ont décidé de faire le voyage en auto-stop. Jusqu'à présent tout s'est bien passé; elles n'ont pas attendu trop longtemps et elles ont fait la connaissance de gens sympathiques : deux chauffeurs de camion, un jeune couple□ anglais, et la veille, un homme absolument charmant, un bijoutier° parisien qui les a même invitées à déjeuner. Ce matin elles espéraient bien trouver une voiture qui les emmène jusqu'à Toulon. C'est à la sortie d'Aubagne que la D.S. les a prises. Elles avaient de la chance : le chauffeur allait à Toulon.

conduire : *to drive*

bijoutier (m) : *jeweler*

Malheureusement ce chauffeur-là n'est pas très aimable ni très bavard. Personne ne dit mot dans la voiture. Puis au bout d'un certain temps un programme de musique de jazz semble avoir un heureux effect sur le chauffeur, et Paula essaie d'en profiter pour engager la conversation.

— Vous allez souvent à Toulon?

— Non, jamais.

Ça commence mal, se dit Paula. Mais pourquoi donc les a-t-il prises si ce n'est pas pour avoir quelqu'un à qui parler pendant le voyage? Martine dort profondément. Paula essaie de s'occuper en regardant le paysage°.

— C'est quelle ville ici? demande-t-elle.

paysage (m) : *countryside*

---

[1] Hitchhiking is a more common and acceptable means of student travel in Europe than it is in the United States.

[2] **Une D.S.** is a French car manufactured by Citroën.

Pas de réponse. Décidément il vaut mieux ne pas insister. Paula se sent mal à l'aise. Elle aimerait réveiller Martine, mais elle sait qu'elle l'accuserait▫ encore d'avoir peur pour rien. Déjà quand Martine avait parlé de faire de l'auto-stop, Paula avait dit qu'elle ne voulait pas, qu'elle trouvait ça trop dangereux. Mais Martine avait fini par la persuader qu'elles ne risquaient rien.

La radio donne maintenant les nouvelles.

«... On annonce que Jean Mercier, le gangster international, a été aperçu ce matin dans la région de Toulon. Jean Mercier a dans les cinquante ans; il a les cheveux gris, les yeux bleus et mesure▫ 1 mètre 75. Il portait ce matin un complet gris foncé° et une cravate noire. Toute personne pouvant donner des renseignements est priée de prendre contact avec la police le plus vite possible... »

complet gris foncé : *dark-gray suit*

— Eh bien, celui-là, il y a bien une semaine qu'on le cherche, dit Paula.

— Ça m'étonnerait qu'on l'attrape; il a l'air malin, répond le chauffeur.

J'ai enfin réussi à lui faire dire plus de deux mots, pense Paula. Tout n'est pas perdu. Puis elle se met à regarder l'homme attentivement. Des cheveux gris, un complet gris foncé, une cravate noire... Serait-ce possible...? Mais non, elle a l'imagination fertile▫, c'est ce que Martine lui dit toujours. Et ses yeux, de quelle couleur sont-ils? Si au moins il enlevait ses lunettes de soleil! De toute façon elle se fait des idées°. Et pourtant... elle avait vaguement aperçu la photo de Jean Mercier dans un journal et plus elle regarde l'homme, plus la ressemblance lui paraît inquiétante.

se faire des idées : *to imagine things*

Arrivé dans un village, l'homme arrête la voiture et dit qu'il revient tout de suite. Paula le suit des yeux. Il fait quelques mètres puis s'arrête devant une porte. Il regarde vite autour de lui et disparaît à l'intérieur. Martine s'est réveillée et demande ce qui se passe.

— Je ne sais pas. Il a dit qu'il revenait tout de suite.

Tu sais, je n'aime pas beaucoup tout ça. Il est vraiment bizarre.

Martine se met à rire.

— Ce que tu peux être bête! Moi, je trouve qu'il a l'air très sympathique, cet homme.

— C'est bien possible. Mais je viens d'entendre quelque chose à la radio qui m'inquiète. Jean Mercier, tu sais, celui qui a fait un hold-up en plein jour à la Banque□ de France, il paraît qu'il est dans la région. Il porte un complet gris et une cravate noire.

— Et alors?

— Tu n'as pas remarqué ce qu'il porte, notre homme?

— Il ne faut tout de même pas exagérer°. Il y a des centaines d'hommes qui portent un complet gris et une cravate noire.

exagérer : *to go too far, get carried away*

— Et tu peux me dire pourquoi il s'arrête ici? Il dit qu'il ne va jamais à Toulon. Pourquoi est-ce qu'il semble connaître la région comme sa poche?

— Ça, je n'en sais rien.

— Moi, je te dis que ça ne me plaît pas.

L'homme est à la porte en grande conversation avec un jeune homme. Ils regardent dans la direction de la voiture et semblent beaucoup s'amuser.

La voiture repart. Martine s'installe pour se rendormir. Mais Paula n'arrive pas à se calmer. Mille idées tournent dans sa tête. Au bord de la route des panneaux° publicitaires annoncent un restaurant à quelques kilomètres.

panneau (m) **:** *billboard*

— Vous avez l'intention de vous arrêter quelque part pour déjeuner? dit Paula.

— Oui, mais pas sur la grand-route, il n'y a rien de bien. Je connais un petit endroit bien tranquille pas loin d'ici.

Alors Paula rassemble tout son courage et lui dit :

— Mais je croyais que vous n'alliez jamais à Toulon. Vous avez pourtant l'air de bien connaître la région.

— J'y ai habité pendant des années. Mais c'est la

première fois depuis dix ans que je reviens ici.

Le déjeuner se passe bien. Paula jette à l'homme des regards pleins de soupçons°, car lorsqu'il a enlevé ses lunettes de soleil, elle a remarqué qu'il avait les yeux bleus. Il mange avec appétit▫ et ne fait aucun effort pour trouver un sujet▫ de conversation.

soupçon (m) : *suspicion*

— Attendez-moi quelques instants, il faut que je donne un coup de téléphone.

— Nous pouvons nous séparer, si vous voulez, dit immédiatement Paula. Je suis sûre que nous trouverons facilement une autre voiture, nous ne sommes plus loin de Toulon, de toute façon.

Martine lui jette un regard furieux.

— Mais non, vous allez à Toulon avec moi. Je reviens tout de suite, répond l'homme.

Lorsqu'il est parti, Paula peut enfin parler librement.

— Il faut être aussi bête que toi pour faire confiance à° un gangster! Tu peux rester si tu veux. Moi, je m'en vais!

faire confiance à : *to have confidence in, trust*

— Non, mais tu es complètement folle! Ce n'est pas parce que tu as des soupçons idiots qu'il faut aller attendre des heures sur la route avant qu'une autre voiture s'arrête.

De retour dans la voiture, l'homme semble d'excellente humeur et se sourit à lui-même. Tout à coup, il quitte la route principale et prend un chemin qui a l'air de mener dans la campagne.

— Ça y est. J'avais raison, dit Paula à voix basse. Tu as vu les deux motards°? C'est pour ça qu'il a tourné. Je te dis qu'il n'a pas la conscience▫ tranquille. C'est Mercier, j'en suis sûre.

motard (m) : *motorcycle cop*

Martine commence à s'inquiéter.

— Monsieur, Monsieur, euh, nous descendrons ici, euh, nous allons à Toulon.

— C'est vous ou c'est moi qui conduis?

— Mais Monsieur, laissez-nous descendre. Nous voulons descendre ici.

— Mesdemoiselles... je sais où je vais. Restez tranquilles!

La voiture continue à toute vitesse sur le petit chemin de campagne. Paula en est sûre maintenant : Jean Mercier va les garder prisonnières▫ et demander une rançon▫. Une demi-heure passe; les jeunes filles sont paralysées de peur. Puis quelques maisons apparaissent, puis d'autres, et enfin Toulon. Elles commencent à espérer; s'il va dans la ville, il va être obligé de s'arrêter aux feux° et elles pourront appeler à l'aide. C'est avec anxiété▫ qu'elles attendent les feux, mais malheureusement, ils sont tous verts. Ils sont déjà au centre de la ville. Tout à coup l'homme arrête la voiture.

feu (m) : *traffic light*

— Voilà, vous êtes arrivées, Mesdemoiselles. Vous pouvez descendre.

Les jeunes filles sont tellement étonnées qu'elles restent assises, incapables▫ de faire un mouvement▫ ou de dire un mot.

Puis, sans trop savoir ce qu'elles font, elles descendent. L'homme les aide à sortir leurs bagages▫ et remonte en voiture.

— Au revoir, Mesdemoiselles, et bonnes vacances. Mais un petit conseil : si j'étais vous, je ne ferais pas d'auto-stop. On ne sait jamais sur qui on peut tomber.

Il part avant qu'elles aient le temps de le remercier. Elles restent toutes deux sur le trottoir, encore toutes tremblantes de peur; surtout Paula qui est sûre d'avoir aperçu sur son porte-clefs° deux initiales▫ métalliques : J.M.

porte-clefs (m) : *key ring*

KATIA LUTZ

QUESTIONS

1. Où les jeunes filles vont-elles passer leurs vacances? Comment voyagent-elles? Pourquoi?
2. Avec qui ont-elles voyagé les jours précédents?
3. Pourquoi ont-elles de la chance que la D.S. s'arrête?
4. Qu'est-ce qui indique que le chauffeur de la D.S. n'est pas particulièrement aimable?

5. Que fait Paula pour s'occuper?
6. Pourquoi Paula ne voulait-elle pas faire de l'auto-stop?
7. Quelle nouvelle entend-on à la radio? Comment décrit-on Jean Mercier?
8. Pourquoi Paula commence-t-elle à s'inquiéter?
9. Où l'homme s'arrête-t-il? Que fait-il ensuite?
10. Quelle est la réaction de Martine lorsqu'elle voit que Paula s'inquiète?
11. Que dit le chauffeur de la D.S. quand Paula propose de s'arrêter pour déjeuner?
12. Quand les jeunes filles trouvent-elles l'occasion de se parler?
13. Qu'est-ce que Paula veut faire? Pourquoi Martine n'est-elle pas d'accord?
14. Quand est-ce que Martine commence à s'inquiéter, elle aussi?
15. D'après Paula, qu'est-ce que Jean Mercier va faire d'elles?
16. Pourquoi les jeunes filles sont-elles un peu rassurées quand il entre dans Toulon?
17. Qu'est-ce qui se passe quand ils arrivent enfin au centre de la ville?
18. Quel conseil le chauffeur de la D.S. donne-t-il aux jeunes filles?
19. A votre avis, est-ce que Paula a eu raison d'avoir des soupçons? Pourquoi?

UNE ODEUR DE VIOLETTES□

Nous étions hier soir dans un des meilleurs restaurants de Paris, ma femme, Jean Dechaume et moi. Dechaume est le président-directeur-général de la compagnie pour laquelle je travaille, une compagnie qui fabrique des savons de luxe. Il nous avait invités pour célébrer ma promotion□ toute récente□ : je suis maintenant son assistant□. Dîner excellent, atmosphère sympathique, lumière tamisée°, tout y était. Mais quand le champagne est arrivé, il s'est passé une chose bizarre. Une jeune fille est venue nous proposer des fleurs et le galant□ Dechaume a demandé à ma femme de choisir un bouquet□. Elle a choisi des violettes. « Ah, non, a dit Dechaume, tout d'un coup très pâle, je vous en prie, surtout pas de violettes! » Et ses mains tremblaient un peu...

lumière tamisée : *dimmed light*

Ma femme, étonnée, a choisi une rose. Dechaume a hésité un long moment et puis, d'un air embarrassé□, il nous a dit :

« Je suis absolument désolé de cet incident. Je vous demande de m'excuser. Ne croyez pas que je sois devenu fou, dit-il avec un sourire forcé, mais il m'est arrivé une aventure bizarre il y a vingt ans et depuis, je ne peux plus supporter° l'odeur des violettes.

supporter : *to bear*

Je venais de terminer mes études et j'arrivais à Paris pour la première fois, mon diplôme d'ingénieur□ en poche, heureux de quitter Lyon et fier d'avoir été engagé□ par une grande compagnie. J'étais jeune, snob, et pas très riche. Après avoir passé deux jours à l'hôtel, je me suis mis à chercher un appartement. Je voulais quelque chose de bien dans un bon quartier. Mais rien ne me satisfaisait : trop petit, trop sombre, loyer° trop cher... jusqu'au jour où un collègue□ m'a donné l'adresse d'un certain Jean Moreau qui avait un appartement à

loyer (m) **:** *rent*

louer dans le XVIe arrondissement[1] : deux pièces, cuisine, salle de bains.

Je me suis précipité chez ce M. Moreau qui m'a reçu chaleureusement, je dirais même, très chaleureusement. Il m'a dit que l'appartement était situé rue de la Pompe (on sait même à Lyon que c'est une des rues les plus chics de Paris), qu'il était libre immédiatement, très confortable▫ et que je pouvais le visiter le jour même. Il a ajouté que le loyer était 10.000 francs par mois (anciens[2] évidemment).

Le prix m'étonnait un peu pour la rue de la Pompe et je n'ai pas pu m'empêcher de le lui dire.

— Croyez-moi, m'a-t-il répondu, c'est une occasion comme on n'en voit pas tous les jours. C'est un appartement charmant, délicieux, décoré avec un goût exquis▫. Il appartenait° à une jeune danseuse de l'Opéra, Josiane Dupré...

appartenir : *to belong*

— Josiane Dupré : le nom me dit quelque chose. Ah, oui... on a beaucoup parlé d'elle dans les journaux au moment de sa mort : c'était l'année dernière, n'est-ce pas? Est-ce qu'elle n'est pas morte dans des conditions un peu mystérieuses? Un crime? Un suicide▫?

Non, non, elle est morte, c'est tout... le cœur sans doute... Mais pour en revenir à l'appartement, c'est un vieux cousin de province[3], le seul membre de sa famille encore en vie, qui en a hérité. Comme il ne vient jamais à Paris, il m'a demandé de le louer.

— A ce prix ridicule?

— Oui, euh, voyez-vous, c'est un vieil excentrique, multimillionnaire▫. Le loyer ne l'intéresse pas, mais il

---

[1] **Le XVIe arrondissement,** one of twenty administrative districts in Paris, is considered by many people to be the most fashionable residential section.

[2] **Anciens** refers here to **anciens francs** (old francs) which were valued at approximately 500 francs to the dollar. The new francs, which were put into circulation on January 1, 1960, are valued at approximately 5 francs to the dollar.

[3] **La province** includes all of France except Paris.

ne veut pas vendre — raisons sentimentales, je suppose. Il insiste que l'appartement reste exactement comme sa cousine l'a laissé.

Je suis tout de suite allé visiter l'appartement. Je l'ai à peine regardé; j'étais tellement pressé de quitter mon hôtel et d'aller habiter rue de la Pompe que je l'ai loué immédiatement pour deux ans. J'ai pris un taxi pour y amener mes bagages et en quelques heures j'étais installé.

J'ai fait sensation▫ le lendemain matin quand j'ai annoncé au laboratoire que j'avais un appartement rue de la Pompe — et pour 10.000...

— Pas possible! C'est une chambre de bonne°. Sous les toits.

bonne (f) : *maid*

— Mais non, c'est au premier, trois pièces, deux grandes fenêtres sur la rue, très clair, cuisine avec frigidaire, salle de bains ultra-moderne...

— Alors, le cousin de province est complètement fou ou bien il y a un fantôme▫.

Tout le monde a ri. Moi aussi.

Le soir, j'ai visité l'appartement avec un peu plus d'attention. Il n'y avait rien de bizarre, malgré la décoration▫ d'un goût assez spécial. Le salon était peint en jaune et les murs étaient couverts de portraits▫ de Josiane Dupré en tutu et chaussons de danse°. J'étais fasciné▫ par sa beauté▫ mais aussi, et peut-être surtout, par son demi-sourire, qui me semblait un peu ironique. La chambre à coucher était mauve▫ et là aussi il y avait des portraits de Josiane Dupré.

tutu (m) **et chaussons** (m) **de danse :** *ballerina's dress and ballet slippers*

Heureusement il n'y avait pas de portraits dans la cuisine orange, ni dans la salle de bains lilas; mais dans l'entrée, sur une petite table basse, il y avait une paire▫ de chaussons en satin blanc. J'ai pris un chausson dans la main. Il était si petit. Et j'ai senti° — ou j'ai cru sentir — une vague▫ odeur de violettes. « Allons, allons! me suis-je dit, il y a plus d'un an que ces chaussons n'ont pas été portés. Cette odeur de violettes n'existe que dans ton imagination. » J'ai remis le chausson à sa place et je suis allé dans la cuisine. J'ai réussi à faire une omelette▫

sentir : *to smell*

un peu brûlée et du café beaucoup trop pâle. Mais je n'avais plus faim. Il me semblait que l'omelette avait une odeur de violettes! Je suis retourné dans l'entrée, j'ai pris les petits chaussons blancs et je les ai jetés dans un coin, derrière la porte. Je ne sais pas pourquoi, mais je me suis tout de suite senti mieux. Je me suis lavé les mains et j'ai recommencé à manger ma misérable omelette. Mais cette odeur de violettes me poursuivait°. Je suis revenu à la salle de bains et je me suis aperçu que j'avais utilisé un savon qui était resté là, un savon parfumé à la violette.

poursuivre : *to pursue*

Après le dîner j'ai essayé de lire, mais je n'arrivais pas à me concentrer sur ce que je lisais. J'ai alors mis la radio. Je suis tombé sur de la musique de ballet▫. Tchaïkovsky. En général j'aime bien Tchaïkovsky, mais ce soir-là, je trouvais ça un peu trop romantique▫. Je regardais les objets▫ dans la pièce sans vraiment les voir quand tout à coup mon regard s'est arrêté sur l'un des portraits de la mystérieuse Josiane. Il me semblait qu'il avait bougé°. Mais non! C'était ridicule... c'était la lumière qui donnait cette impression. Pourtant il me semblait que son bras n'était pas tout à fait dans la même position qu'avant.

bouger : *to move*

J'ai fermé la radio, j'ai allumé toutes les lampes et je me suis forcé à regarder tous les portraits, les uns après les autres. Rien d'extraordinaire, une jolie danseuse et des portraits assez médiocres▫. Elle avait de beaux yeux, des yeux profonds et noirs. Des yeux qui avaient l'air de me voir...

J'ai mis mon manteau et je suis sorti. Dans la rue je me suis mis à courir° comme si quelqu'un me poursuivait. Je suis finalement entré dans une salle de cinéma et j'ai vu un film idiot. Quand je suis revenu, j'étais fatigué et je suis allé me coucher tout de suite, sans regarder les portraits.

courir : *to run*

J'ai mal dormi; je me suis réveillé au milieu de la nuit et j'ai essayé de lire, mais sans succès. C'est alors que je me suis aperçu qu'il y avait une odeur de violettes dans ma chambre. Je me suis retourné contre le mur; j'ai tiré la couverture sur ma tête et j'ai essayé de me rendormir. Puis j'ai cru entendre un bruit bizarre dans l'entrée, un petit bruit très léger°.

léger : *light*

Je voulais aller dans l'entrée, et en même temps je ne voulais pas. Je ne suis pas sorti de ma chambre, mais je n'ai pas dormi non plus. L'odeur de violettes me donnait mal à la tête, mais j'avais peur, oui peur, d'aller dans la salle de bains prendre de l'aspirine. Je me suis endormi au matin.

Quand je me suis réveillé, tout était calme dans l'appartement. Les portraits n'avaient plus rien de mystérieux, il n'y avait plus d'odeur de violettes dans l'air, et rien ne restait de cette nuit fantastique. J'ai pris du café bien fort° et je suis allé au laboratoire. Mais pourquoi, en sortant de l'appartement, ai-je regardé dans le coin près de la porte, pour voir si les chaussons étaient toujours là où je les avais jetés la veille? Pourquoi ai-je eu l'impression que la concierge me regardait d'un air bizarre quand j'ai descendu l'escalier? Pourquoi m'a-t-elle demandé si j'avais bien dormi? Je me suis dit que je devenais complètement idiot, qu'après tout, les concierges parisiennes n'étaient pas si désagréables que ça, que j'étais trop impressionnable□, et que j'avais mal dormi à cause de mon omelette brûlée, que tante Rosalie avait raison, que tout vient de l'estomac, que si l'on mange quelque chose d'indigeste□, on dort mal et on fait des cauchemars°.

fort : *strong*

faire des cauchemars (m) **:** *to have nightmares*

En arrivant au travail, j'ai rencontré Josserand, un ingénieur qui se croyait supérieur□ parce qu'il était parisien et qu'il travaillait depuis trois ans pour la compagnie.

— Alors? et ce fantôme?

— Quel fantôme?

Il est parti avec un petit sourire ironique. Je me suis senti nerveux□ pendant toute la journée. J'ai dîné au restaurant et j'ai fait bien attention de ne rien manger d'indigeste. En rentrant chez moi, j'ai vu que la concierge était venue faire le ménage° comme je le lui avais demandé. La soirée s'est passée sans incidents et je me suis couché de bonne heure.

faire le ménage : *to do house-cleaning*

Je me suis réveillé à minuit : l'odeur de violettes était très forte et j'entendais encore le petit bruit bizarre qui venait de l'entrée. Je n'ai pas bougé de mon lit. J'ai finalement pu dormir quelques heures, et le matin, tout était normal.

— Tout va bien? m'a demandé la concierge.

— Très bien, je vous remercie.

— Cela doit faire une drôle d'impression d'habiter dans l'appartement de Josiane Dupré!

— Drôle? Non, pourquoi? ai-je ajouté d'un air faussement° détaché▫.

faussement : *falsely*

— Oh, tous ces portraits, tous ces souvenirs.

— Oh, moi, vous savez, ces choses-là, je ne les remarque même pas.

— Ah, moi, qu'est-ce que vous voulez, ça me fait quelque chose! Cette pauvre Mlle Dupré, elle qui était si jeune, si jolie, si aimable et pas fière.

— Vous la connaissiez bien?

— Si je la connaissais! Pensez, dix ans qu'elle a habité ici, elle ne manquait jamais de s'arrêter pour me dire bonjour en passant. Elle aimait bien causer°. Elle avait toujours un moment pour causer avec moi. Je connaissais toute sa vie. Elle m'en racontait des histoires! L'Opéra, les réceptions officielles, la fois où elle est allée en Amérique du Sud. Elle en connaissait des gens! Même des ministres, Monsieur, des barons▫, des duchesses, des princes▫, des millionnaires américains, même des acteurs▫ de cinéma. Tout le monde l'aimait, la pauvre chère mademoiselle! Quand je pense à elle, j'ai l'impression qu'elle va revenir me voir, avec ses petits cadeaux, ses jolies robes, son parfum.

causer : *to chat*

— Elle avait un parfum spécial?

— Non, rien de spécial. Elle n'aimait pas les parfums chers et snobs comme ceux des autres danseuses. Mlle Dupré, elle, elle sentait toujours la violette... Mais qu'est-ce que vous avez°? Vous ne vous sentez pas bien? Vous êtes tout pâle. Venez vous étendre un peu...

qu'est-ce que vous avez : *what's the matter with you*

Je me sentais très mal à l'aise. Je suis parti brusquement sans lui répondre. La violette! Quelle odeur ridicule, vieille et romantique!

Et toutes les nuits, cette même odeur de violettes me réveillait et, tout de suite après, ce petit bruit léger, rythmé□, insistant□. Au bout de huit jours, je me suis enfin décidé à sortir de mon lit pour aller voir ce qui se passait dans l'entrée. La lune brillait° avec une lumière froide et bleue. L'odeur de violettes s'était glissée dans ma chambre avec une insistance□ nouvelle, personnelle□... Non seulement je la sentais, mais je la voyais, je l'entendais comme une musique de ballet, captivante□, harmonieuse□ et douce. Et ce petit bruit léger qui suivait le rythme□.

la lune brillait : *the moon was shining*

Je me suis levé, j'ai ouvert la porte et j'ai vu, — vous n'allez pas me croire, mais je vous assure que je n'invente rien — j'ai vu deux petits chaussons de satin blanc qui dansaient tout seuls sur la table basse de l'entrée. Je me suis pincé le bras, j'ai fermé les yeux puis je les ai rouverts, j'ai regardé encore une fois : les petits chaussons dansaient, légers comme des elfes□, faisant des pirouettes□ sur la table, comme s'ils étaient animés□ par de petits pieds invisibles□. J'ai cru que je devenais fou. Je me suis frotté les yeux. Quand je les ai rouverts, il n'y avait plus rien sur la table.

Je me suis habillé en tremblant et je suis sorti. J'ai marché toute la nuit dans les rues désertes□ du XVIe. Je suis revenu à cinq heures du matin dans l'appartement. Tout était calme, l'entrée avait retrouvé son aspect normal. Les petits chaussons étaient dans le coin où je les avais jetés le soir de mon arrivée. L'odeur de violettes avait disparu; je ne pouvais rien sentir d'autre qu'une odeur de tabac froid.

Mais alors, était-ce mon imagination? J'avais pourtant vu les chaussons qui dansaient seuls. J'avais bien senti cette étrange odeur de violettes... ou alors, j'avais cru voir, cru entendre, cru sentir? Je me suis recouché et je me suis endormi immédiatement.

Ce jour-là, je ne suis pas allé au laboratoire. J'ai téléphoné pour dire que j'avais attrapé froid et on m'a répondu qu'en effet, ma voix était bien changée.

Je suis allé à la Bibliothèque Nationale et j'ai demandé à voir la collection d'un grand journal. J'ai trouvé tous les articles écrits sur la mort de Josiane Dupré. La police l'avait trouvée morte dans l'entrée de son appartement, en tutu, les petits chaussons de satin posés° sur la table basse. Elle n'avait pas eu le temps de les mettre. D'après les journaux, on n'a pas pu déterminer la cause□ de sa mort.

posé : *placed, put down*

Le lendemain je suis revenu au laboratoire; j'y ai passé alors toute la journée et toute la soirée et les jours suivants de même. J'y allais le samedi et même quelquefois le dimanche. Pourtant il fallait bien que je rentre dormir dans mon appartement.

J'ai enlevé tous les portraits des murs, j'ai caché les chaussons au fond d'une boîte, j'ai acheté des produits désodorisants□ et j'en ai mis partout°. Mais le bruit des petits chaussons et l'odeur de violettes sont revenus toutes les nuits, et je n'ai jamais plus eu le courage de retourner dans l'entrée.

partout : *everywhere*

Finalement, je suis allé voir M. Moreau, qui n'a pas eu l'air trop étonné en me voyant arriver. Je n'ai pas pu lui dire qu'il y avait un fantôme dans l'appartement. J'étais jeune et je ne voulais pas paraître ridicule. Je lui ai dit que je partais en voyage pour quelques mois et je lui ai demandé de louer l'appartement pendant mon absence.

Pendant deux mois, j'ai habité à l'hôtel et j'ai presque oublié Josiane Dupré, ses chaussons, son odeur de violettes et son fantôme. Après tout, cela existait sans doute simplement dans mon imagination. Quand je suis revenu rue de la Pompe, la concierge m'a accueilli avec un grand sourire :

— Alors, Monsieur Dechaume, et ces petites vacances?

— Excellentes. Je me suis bien reposé. Tout va bien?

— Mais oui, tout est en ordre. C'est une Mlle Bosc qui a habité l'appartement pendant votre absence. Une charmante demoiselle. Elle m'a beaucoup rappelé° cette pauvre Mlle Dupré. Elle est partie hier en laissant l'appartement très propre et bien rangé.

rappeler : *to remind (one) of*

— Ah oui?

— C'est une danseuse de l'Opéra elle aussi, nous avons parlé de Mlle Dupré.

— Et... elle aime l'odeur de violettes?

— C'est son parfum préféré, mais comment le savez-vous?

Je suis monté à l'appartement en espérant que Mlle Bosc avait chassé le fantôme de son idole□ et qu'elle était partie en emportant tous ses souvenirs. Hélas□ ! Elle était partie en laissant une odeur de la violette de chez Guerlain, vous savez, leur numéro 31. J'ai ouvert les fenêtres, secoué les tapis°, les couvertures, les livres, tout. Et l'odeur est partie... pour revenir au milieu de la nuit.

j'ai secoué les tapis (m) **:** *I shook the rugs*

Cette fois, c'était fini! A neuf heures du matin, j'ai téléphoné à M. Moreau et je lui ai dit que je quittais définitivement l'appartement. M. Moreau m'a répondu qu'il était facile d'arranger les choses : une amie de Mlle Bosc venait de lui téléphoner en lui disant qu'elle aimerait louer l'appartement s'il était libre.

J'ai quitté la rue de la Pompe le jour même et j'ai pris un appartement moins beau, moins bien situé, plus cher, mais avec moins de « personnalité. »

Une semaine plus tard, j'ai reçu une lettre écrite sur du papier très élégant, un papier parfumé à la violette. Je l'ai lue en la tenant° le plus loin possible de mon nez. Elle venait d'une femme qui signait□ seulement de ses initiales L. D. : « Cher Monsieur, disait-elle, je suis la nouvelle locataire de l'appartement que vous venez de quitter. Je vous envoie, en même temps que cette lettre, quelques livres que vous avez oubliés. Je suis très heureuse d'avoir trouvé cet appartement. Je suis danseuse à l'Opéra et c'est pour moi un grand honneur□

tenir : *to hold*

d'habiter dans l'appartement de la grande Josiane Dupré. Sa présence, que l'on sent partout, m'inspire et me donne du courage dans mon travail. »

J'ai jeté la lettre et je n'ai plus jamais entendu parler° de cette histoire. »

entendre parler de : *to hear about*

Ma femme et moi n'avons rien dit pendant un moment. Puis j'ai demandé :

— A-t-on jamais appris comment Josiane Dupré était morte?

— Non, jamais, a répondu Dechaume. L'affaire est oubliée depuis longtemps. Moi-même je n'y pense jamais, ou presque jamais...

Il y a eu un moment de silence. Et c'est alors que je me suis rendu compte que notre compagnie fabriquait des savons parfumés à la rose, au jasmin□, au lilas, mais jamais à la violette.

NELLY MARANS

QUESTIONS

1. Qui est-ce qui a invité l'auteur et sa femme à dîner? Pour quelle raison?
2. Quelles fleurs la femme de l'auteur choisit-elle? Quelle est la réaction de Dechaume?
3. Pourquoi Dechaume commence-t-il à parler de ce qui lui est arrivé il y a vingt ans?
4. Pourquoi Dechaume est-il venu à Paris?
5. Pourquoi est-ce qu'aucun appartement ne le satisfaisait?
6. Comment a-t-il enfin trouvé un appartement? Pourquoi était-ce une occasion extraordinaire?
7. A qui l'appartement appartenait-il autrefois? Pourquoi Dechaume reconnaît-il le nom?
8. Quand est-ce que Dechaume va visiter l'appartement?
9. Décrivez l'appartement. Qu'est-ce qui rappelle plus spécialement la présence de la danseuse?

10. Qu'est-ce que Dechaume croit sentir quand il prend un chausson dans la main?
11. Pourquoi Dechaume n'a-t-il pas pu finir son omelette?
12. Qu'a-t-il fait des chaussons?
13. Pourquoi est-ce que l'odeur le poursuit même après qu'il s'est lavé les mains?
14. Qu'est-ce que Dechaume essaie de faire après le dîner? Pourquoi est-ce qu'il n'y arrive pas?
15. Quelle impression Dechaume a-t-il lorsqu'il regarde les portraits? Comment s'explique-t-il ce qu'il a cru voir?
16. Où va-t-il ce soir-là?
17. Que se passe-t-il de bizarre au milieu de la nuit? Pourquoi Dechaume ne va-t-il pas voir ce que c'est?
18. Comment Dechaume s'explique-t-il la mauvaise nuit qu'il a passée?
19. Pourquoi est-ce que tout est en ordre quand Dechaume rentre chez lui après son travail?
20. D'après la concierge, quelle sorte de femme était Mlle Dupré? Pourquoi est-ce que la concierge la trouvait si aimable?
21. Quel était le parfum préféré de Josiane Dupré?
22. Qu'est-ce qui se passe les nuits suivantes? Combien de temps Dechaume attend-il avant d'aller voir ce qui se passe dans l'entrée?
23. D'après lui, quelle chose extraordinaire a-t-il vue dans l'entrée?
24. Comment trouve-t-il l'entrée lorsqu'il revient le lendemain matin? Où sont les chaussons?
25. Pourquoi ne va-t-il pas au laboratoire ce jour-là? Qu'est-ce qu'il donne comme excuse?
26. Qu'apprend-il sur la mort de Josiane Dupré?
27. Comment essaie-t-il d'échapper à l'atmosphère de cauchemars de son appartement?
28. Que fait-il pour débarrasser l'appartement de tout ce qui rappelle Josiane Dupré?
29. Pourquoi va-t-il voir M. Moreau? Que lui dit-il?

30. Où va-t-il en réalité?
31. Qui habite l'appartement pendant son absence?
32. Quelle décision prend-il finalement? Pourquoi?
33. Pourquoi la nouvelle locataire aime-t-elle l'appartement?
34. De quoi l'auteur se rend-il compte à la fin de l'histoire?

LES DIMANCHES HISTORIQUES DE LA FAMILLE

Je m'appelle Michel Gallois. J'ai quatorze ans. Je suis un « teenager », comme ils disent en Amérique. Dommage qu'en France, les distinctions° soient moins subtiles° ! Ici, on me considère toujours comme un enfant, bien que mon père aime à affirmer que je suis trop précoce pour mon âge. Ce n'est d'ailleurs pas vrai, si je me compare à ma petite sœur. A huit ans, elle est yé-yé[1], elle affecte des attitudes° nonchalantes°, écoute religieusement les chansons de Sylvie Vartan comme si c'était la messe à Notre-Dame de Paris, et collectionne° avec idolâtrie° les photos de Françoise Hardy dans ses cahiers et ses livres d'école. Mais quand il s'agit des Beatles, c'est du délire, de l'hystérie°. La première fois que mon père a vu ma sœur s'agiter devant la radio, les cheveux dans la figure°, les yeux hagards°, il a cru qu'elle était devenue folle.

figure (f) : *face*

— Qu'est-ce que c'est que cette musique de sauvages?

— Ce ne sont pas des sauvages, ce sont les Beatles, a dit ma sœur.

— Des beatles...!? Qu'est-ce que c'est que ça? Des tribus° primitives° d'Australie ou des habitants de la planète Mars? (Mon père n'a jamais fait grande différence entre Mars et l'Australie, qui reste pour lui un continent° étrange avec des koalas°, des kangourous°, et probablement encore deux ou trois dinosaures.)

— Voyons, papa, a protesté ma sœur, les Beatles sont anglais, tout le monde le sait.

---

[1] **Yé-yé,** originally the French version of the American rock-and-roll refrain "yeah-yeah," refers to French teen-agers who follow fads and adopt as idols such singers as Sylvie Vartan, Françoise Hardy, and the Beatles.

— Ah! des Anglais! Rien d'étonnant, alors! s'est exclamé▫ papa. Comme si ce n'était pas assez de la guerre° de Cent Ans, de Jeanne d'Arc, de Waterloo! Ils exportent▫ maintenant leurs germes▫ de corruption▫ parmi les jeunes Français! O pauvre France! les beatles anglais après le phylloxéra[2] des Américains!

guerre (f) : *war*

Impossible de discuter avec papa. Les Beatles pour lui, c'est comme l'algèbre pour moi, il n'y comprend rien. Moi, les Beatles, je les comprends; ils ont dû passer leur enfance dans une famille comme la mienne. Quand on entend tout le temps : « Les enfants ne parlent pas à table... Ne fais pas de bruit avec tes pieds quand tu marches... Ne mets pas les mains dans les poches... Tu ne remettras pas les pieds dans cette maison avant d'aller chez le coiffeur°... » ensuite on a envie de faire du bruit, de parler sans arrêt et de porter les cheveux aussi longs que Samson, bien que ce ne soit pas très pratique.

coiffeur (m) : *barber*

Les parents français sont toujours étonnés que nous ayons une vision du monde négative▫, mais ce sont eux les responsables car toutes leurs phrases commencent par « ne ». « Ne fais pas ceci, ne fais pas ça, ne parle pas, ne marche pas, ne cours pas, ne respire pas! » Si vous croyez que c'est une vie! Moi, je voudrais voir mes parents en Amérique. Là-bas, ce sont les enfants qui donnent les ordres. Je le sais, je l'ai lu dans le journal. A table, par exemple, ce sont les enfants qui parlent. Et pas de danger que les grandes personnes osent interrompre la conversation. Elles ont bien trop peur de faire pleurer° les petits ou de donner des complexes aux plus grands. Ensuite elles sont obligées de payer le psychiatre parce qu'elles ont peur que leur fils

pleurer : *to cry*

---

[2] **Le phylloxéra** is a winged insect of which a certain species, the grape phylloxera, originated in America. Around 1863, France suffered a phylloxera attack which destroyed a great number of vineyards and seriously threatened the wine industry in France.

mette du poison▫ dans leur café au lait. Bien que papa répète souvent que les Américains ne sont pas aussi civilisés▫ que les Français, moi je crois que j'aurais aimé passer mon enfance en Amérique.

Autrefois, je veux dire jusqu'au début de l'année dernière, on était assez heureux. Le dimanche, on était libres : on allait jouer au ballon° dans la rue avec les enfants du quartier; on rentrait à la maison seulement pour manger et se coucher. Maintenant, c'est fini. Pendant la semaine, il y a l'école, et le dimanche, il y a la voiture. Papa en est très fier. Il l'a attendue pendant presque cinquante ans. Et puis l'année dernière, une occasion : un employé du bureau où il travaille qui voulait se débarrasser de sa vieille Citroën, une sorte de machine asthmatique▫ mais robuste. Comme dit ma mère, rien ne vaut° la vieille construction▫ française, ça ne roule peut-être pas aussi vite que les voitures américaines mais ça résiste dans les accidents. Des accidents, c'est sûr que ce n'est pas par excès▫ de vitesse que nous en aurons. Sur terrain▫ plat, on roule tout tranquillement à 40 kilomètres à l'heure, il n'y a que dans les descentes qu'on monte à 70. Mon père dit qu'il ne faut pas pousser le moteur, c'est pourquoi l'autre jour, nous nous sommes fait pousser par un tracteur▫ qui venait derrière nous et que papa n'avait pas vu parce qu'il était en train de corriger° mon petit frère qui voulait apprendre au chien à accélérer. « Corriger » un enfant, chez nous, dans la famille, c'est un euphémisme[3]. Mon père dit souvent qu'il a « la main légère », mais moi j'ai toujours trouvé cette expression paradoxale▫ car quand je reçois sa main sur la figure, elle me paraît plutôt lourde! Mon père et ma mère ne peuvent pas dire « fais attention » sans finir leur phrase

ballon (m) : *(big) ball*

rien ne vaut : *there's nothing like, nothing compares with*

corriger : *to correct*

[3] **Un euphémisme** (a euphemism) is an inoffensive word that is substituted for one that may be considered offensive or unpleasant.

par une gifle°. Une gifle pour eux, c'est comme un point de ponctuation□. Heureusement je ne suis pas le seul enfant de la famille! On se partage les gifles en bons frères et sœurs et ça peut encore aller[4].

gifle (f) : *slap in the face*

Mais j'avais commencé à parler de nos dimanches. Le dimanche, c'est sacré□ : on se lève à six heures du matin, plus tôt qu'en semaine, pour aider papa à préparer la voiture. D'habitude, mon frère, ma sœur et moi, nous n'avons pas droit au café (« Ce n'est pas bon pour les enfants »). Mais papa se met en colère° quand on s'endort dans la voiture; alors, le dimanche, à sept heures du matin, tout le monde prend du café noir pour se réveiller. Papa a sommeil, lui aussi, et je crois qu'il aimerait bien rester au lit jusqu'à midi; mais il répète que les dimanches, il n'y en a qu'un par semaine et il faut en profiter. « En profiter », cela veut dire se lever à six heures, se serrer à sept personnes° dans la voiture, huit avec le chien, et sortir de Paris, dans le matin gris et froid, par des routes vides et sans charme. Avant l'accident avec le tracteur, Jean-Louis, qui a sept ans, et le chien, qui en a six, s'asseyaient à l'avant avec mon père et ma mère. Maintenant nous sommes six à l'arrière et deux à l'avant. (Encore une chance que Dieu ait rappelé notre chat à lui avant qu'on ait acheté la voiture. Sans ça nous serions sept à l'arrière au lieu de six.)

se mettre en colère (f) : *to get angry*

se serrer à sept personnes : *to squeeze seven people*

Le plus difficile est de sortir de Paris : il y a tellement de routes qu'on ne sait jamais quelle direction prendre. Au début c'était ma mère qui se chargeait de la carte, mais comme elle se trompe toujours entre la droite et la gauche, c'est moi à présent qui tiens la carte pendant que ma sœur lit à haute voix° le « guide bleu »[5] car nos parents veulent que nous nous cultivions. Mon père est contre ce qu'il appelle la paresse intellectuelle□.

à haute voix : *aloud*

---

[4] In France, a slap in the face is a common way of reprimanding children who are too old to be spanked.

[5] **Le guide bleu** is one of a series of guide books containing historical and cultural information on different areas of France.

« N'oubliez pas, mes enfants, que la France est le pays de la culture. » C'est pourquoi il n'y a pas une chapelle° autour de Paris que nous n'ayons visitée, pas de monument aux morts et pas de cimetière militaire que nous n'ayons vus. Tous les dimanches, c'est la même chose. Mes amis, eux, vont au cinéma ou jouent au football, mais moi, il faut que j'aille me cultiver sur la tombe° d'un général° de Louis XIV ou de Napoléon. Le comble°, ça a été quand papa a décidé que, pour Pâques, puisqu'il avait trois jours de vacances, nous irions à Verdun[6]. On camperait parce que cela coûterait trop cher d'aller tous à l'hôtel, et d'ailleurs c'est très bon pour la santé de dormir en plein air. D'abord nous étions très excités à l'idée de camper, mais j'ai perdu un peu de mon enthousiasme quand j'ai su que nous n'avions pas acheté de tente.

le comble : *the thing that really did it*

Le premier jour, cela a assez bien marché. On avait emmené le grand-oncle Nestor, parce que mon grand-oncle est un vétéran° de la guerre de '14 et que papa aime l'authentique. Il nous avait dit : « J'emmène le grand-oncle Nestor, il vous racontera la guerre de '14 et pas falsifiée° comme dans vos livres d'histoire. Les livres d'histoire, c'est comme les journaux, ils ne disent jamais la vérité°. Mais quand vous entendrez le grand-oncle Nestor, vous entendrez la voix-même de l'Histoire. » Papa parlait si bien qu'on aurait cru entendre le Président de la République. Mais il a perdu sa bonne humeur avant d'arriver à Verdun. D'abord, nous avons crevé à la sortie de Paris. Cela nous a pris deux heures pour changer de pneu. Ensuite le grand-oncle Nestor a commencé à attaquer les vétérans de la deuxième guerre mondiale.

vérité (f) **:** *truth*

— Albert, tu peux dire tout ce que tu veux, mais la deuxième guerre mondiale, c'est toi qui l'as perdue...

---

[6] **Verdun,** a town in northeastern France, was the site of one of the most violent German offensives of World War I (**la première guerre mondiale,** also referred to as **la guerre de '14**).

toi et ceux de ta génération▫. Vous avez manqué de courage. Nous, à Verdun...

— Manqué de courage!... nous avons manqué de courage!...

Mon père était rouge d'indignation▫. Il a lâché le volant° et j'ai bien cru que notre dernière heure était arrivée et que nous aussi, nous allions laisser nos os à Verdun. Heureusement, le grand-oncle Nestor a pris le volant et a corrigé la direction, maman a rouvert les yeux, toute étonnée d'être encore en vie et papa a retrouvé son éloquence▫ naturelle.

il a lâché le volant : *he let go of the steering wheel*

— Me dire ça, à moi, un père de famille, moi qui ai été prisonnier pendant quatre ans!

— C'est bien ce que je dis, a répondu le grand-oncle Nestor. Tu as été prisonnier. De mon temps, les soldats° préféraient être morts que prisonniers, c'est pourquoi nous avons gagné la guerre et c'est pourquoi vous l'avez perdue. Pense à Waterloo, Albert, pense à Cambronne[7]!

soldat (m) **:** *soldier*

Interruption▫ scandalisée▫ de ma mère :

— Je vous en prie, oncle Nestor, pas de mots comme ça devant les enfants!

— Comment, des mots comme ça?... Une phrase historique, ma chère Eugénie, une phrase que ces enfants doivent se rappeler toute leur vie : « La garde meurt et ne se rend pas ». Voilà ce que tu aurais dû faire, Albert, au lieu d'être prisonnier, si tu avais respecté les héroïques traditions françaises.

Mon père était furieux car il est très chatouilleux° sur la question de l'honneur.

chatouilleux : *touchy, ticklish*

— Mon cher Nestor (papa dit toujours « mon cher » quand il est en colère), mon cher Nestor, je ne permet-

---

[7] **Cambronne,** a French general commanding the imperial guard at Waterloo, is said to have replied to the English demand for surrender: **La garde meurt et ne se rend pas.** ("The guard dies and does not surrender.") According to another version, he replied with a single swear word which has come to be called the **mot de Cambronne.**

trai à personne, pas même à vous, de me donner des leçons de patriotisme□ !

A ce moment-là, mon petit frère, qui s'intéresse beaucoup à l'histoire de France, a interrompu mon père; d'après mon petit frère, la phrase de Cambronne était beaucoup plus elliptique□ et vigoureuse□, il s'agissait d'un simple mot que les gens bien élevés évitent généralement dans la conversation. L'oncle Nestor a répondu que, de toute façon, ce n'était pas un mot pour les enfants, et qu'il fallait laisser les grandes personnes parler.

On est arrivé à Verdun dans l'après-midi. Nous sommes entrés dans la ville pour admirer la cathédrale. Moi, les cathédrales, j'en suis un peu fatigué, mais j'étais quand même bien content de sortir de la voiture et de marcher un peu. Jean-Louis, lui, s'était arrêté devant la vitrine d'une pâtisserie et voulait des dragées°.

dragée (f) : *sugared almond*

— Des dragées! Tu es fou! Nous ne sommes pas venus à Verdun pour manger des bonbons, a dit papa.

Comme mon petit frère pleurait, ma mère a protesté que les dragées n'étaient pas des bonbons mais une spécialité□ de Verdun et qu'il était important que les enfants connaissent d'autres choses dans la civilisation française que les cathédrales et les champs de bataille°. A la fin, papa lui a acheté des dragées parce que mon petit frère fait beaucoup de bruit quand il pleure et que les gens s'arrêtaient pour nous regarder.

champ (m) **de bataille** (f) : *battlefield*

Après, nous sommes allés visiter les sites□ historiques, c'est-à-dire le champ de bataille. Papa a dit qu'on trouvait encore dans la terre les os des soldats morts, que c'était une terre sacrée et que nous devions avancer avec respect□ et vénération□. Moi, j'écoutais le grand-oncle Nestor qui nous racontait la défense□ héroïque de Douaumont, mais mon petit frère a profité de l'émotion de mes parents pour se sauver°. Quand on l'a retrouvé, il était en train de creuser un trou dans la terre.

se sauver : *to run away*

— Qu'est-ce que tu fais là?

— Laissez-moi tranquille, je cherche un os de soldat.

Tout le monde a été scandalisé.

— C'est un monstre▫ ! Mon fils est un monstre! s'est exclamé mon père, après avoir giflé plusieurs fois Jean-Louis. Puis il a fait quelques pas en arrière, a considéré son fils avec attention, a mis la main devant ses yeux comme pour chasser une vision horrible, puis il a étendu le bras vers Jean-Louis dans un mouvement d'indignation:

— Que je ne le voie plus° devant moi! Faites attention qu'il marche derrière nous.

que je ne le voie plus : *I don't want to see him*

Le petit a protesté de ses bonnes intentions▫ : « C'était pour apporter à l'école! », mais mon père n'a rien voulu entendre.

Vers cinq heures, ma mère a dit qu'il fallait chercher un endroit où camper.

— Et si on allait dans un camping organisé?

— Tu n'y penses pas! Un camping organisé, c'est pire que Paris. Pas de liberté. Dieu sait qui on y rencontre, dans les campings! Non, non, j'aime trop mon indépendance▫ .

Moi, j'ai pensé que les Français parlent toujours de leur chère indépendance, mais que la vie de famille et les vacances à Verdun, c'était la négation▫ même de l'indépendance. Je crois surtout que mon père n'osait pas aller dans un camping organisé parce que nous n'avions pas de tente. Alors, nous avons commencé à chercher dans la campagne de Verdun un endroit avec des arbres et de l'eau pour nous installer. On a roulé pendant des kilomètres. Papa commençait à s'énerver° et disait au grand-oncle Nestor :

s'énerver : *to get upset*

— Vous qui étiez ici en '17, vous devriez vous rappeler. Vous devriez connaître l'endroit si vous y êtes resté deux ans.

C'était sa vengeance▫ . Ma sœur a pris la défense du grand-oncle Nestor et a dit que pendant la guerre, ce n'était pas le même paysage, que tous les soldats vivaient dans les trous et que si on trouvait un vieux trou, ce serait peut-être une solution. Naturellement, le traditionnel « les enfants ne parlent pas si on ne leur demande rien » a interrompu ses réflexions□. Il est curieux que dans le pays de la liberté d'expression, les enfants soient réduits° au silence. Ma sœur a d'ailleurs protesté qu'on était en république. Mon père, furieux, l'a regardée mais n'a pas osé lâcher le volant pour lui donner une gifle parce qu'elle était assise juste derrière lui, et qu'il y avait un camion de dix tonnes qui arrivait devant nous.

réduit : *reduced*

Nous avons cherché longtemps, sans succès. A la fin nous sommes retournés à Douaumont et nous avons arrêté la voiture derrière les ruines du fort□. Nous avons pique-niqué rapidement car la nuit tombait, puis nous avons étendu des couvertures par terre et nous nous sommes couchés. Il faisait froid. Nous nous serrions les uns contre les autres, mais nous avions froid quand même. Bien sûr, Jean-Louis s'est mis à pleurer.

— Oh, cet enfant! Quelle peste!

— Pauvre petit, a dit ma mère. Il a froid.

— Il en verra d'autres° quand il fera son service militaire!

en voir d'autres : *to go through worse things*

Ça, c'est rituel. Quand l'un de nous refuse de manger quelque chose qu'il n'aime pas, mon père commence : « Tu verras plus tard, quand tu feras ton service militaire... »

A moins que ce ne soit : « Pendant la guerre, tu aurais été bien content de manger ça. D'ailleurs, de mon temps, on n'était pas si difficile... »

Ils parlent tous de la guerre. Mon grand-oncle, c'est celle de '14, mon père, c'est celle de '40, et mon grand frère, c'est celle d'Algérie□.

A minuit, la pluie s'est mise à tomber. « Une petite averse, a dit mon père. Ça va passer. » Nous sommes quand même rentrés dans la voiture. Au matin il pleuvait toujours. Le grand-oncle Nestor toussait et disait qu'il n'avait jamais passé une nuit comme ça, même pendant la guerre de '14. Nous étions restés assis dans la voiture, sans pouvoir dormir. Mon père avait mal à toutes les parties du corps° mais n'osait rien dire, Jean-Louis était malade et avait de la fièvre et ma mère disait à mon père :

corps (m) : *body*

— Tu veux donc que nous laissions nos os à Verdun? Rentrons, je t'en prie. Il faut être fous pour rester seuls sous la pluie, au milieu d'un champ de bataille.

Le voyage de retour a été silencieux. Pour une fois il n'y avait pas trop de circulation sur les routes. C'était le dimanche de Pâques et les gens ne rentrent généralement que le lundi.

Depuis cette aventure, mon père évite les cimetières militaires, les monuments aux morts et tout ce qui peut rappeler la guerre de '14. Nous avons perdu quelques leçons d'histoire intéressantes, mais nous avons gagné plus de tranquillité le dimanche.

NICOLE MARCHAND

QUESTIONS

1. D'après Michel, comment considère-t-on les jeunes gens de quatorze ans en Amérique? Et en France?
2. En quoi sa sœur est-elle précoce?
3. Pourquoi M. Gallois a-t-il cru que sa fille était devenue folle?
4. A quoi M. Gallois compare-t-il les chansons des Beatles?
5. Pourquoi les enfants de la famille ne peuvent-ils pas discuter avec leur père?
6. D'après Michel, pourquoi les enfants ont-ils envie de faire du bruit et de porter les cheveux longs?
7. D'après lui, en quoi les parents américains sont-ils différents des parents français? Êtes-vous de son avis? Donnez vos raisons.
8. Comment les enfants de la famille passaient-ils autrefois leurs dimanches?
9. Décrivez la voiture.

10. Pourquoi M. Gallois n'a-t-il pas vu le tracteur qui arrivait derrière la voiture?
11. Pourquoi Michel trouve-t-il que son père n'a pas « la main légère »?
12. A quelle heure est-ce qu'ils se lèvent le dimanche? Pourquoi?
13. Qu'est-ce qu'ils prennent au petit déjeuner? Pourquoi?
14. Pourquoi ont-ils de la difficulté à sortir de Paris?
15. Que fait Michel pendant le voyage? Que fait sa sœur?
16. Quels endroits visitent-ils le plus souvent? Pourquoi?
17. Où vont-ils passer les vacances de Pâques? Pourquoi vont-ils camper?
18. Pourquoi M. Gallois demande-t-il au grand-oncle Nestor de les accompagner?
19. De quoi le grand-oncle Nestor accuse-t-il M. Gallois?
20. Pourquoi ont-ils failli avoir un accident?
21. Pourquoi M. Gallois se met-il en colère quand Jean-Louis s'arrête devant une pâtisserie? Que dit Mme Gallois pour défendre son fils?
22. Quand est-ce que Jean-Louis se sauve? Pourquoi est-ce que tout le monde est scandalisé quand on le retrouve?
23. Qu'est-ce que Jean-Louis dit pour se défendre?
24. Quelles raisons M. Gallois donne-t-il de ne pas aller dans un camping organisé? D'après Michel, quelle est la vraie raison?
25. D'après M. Gallois, pourquoi le grand-oncle Nestor devrait-il connaître un bon endroit où ils pourraient camper?
26. Quelle solution la sœur de Michel propose-t-elle? Pourquoi M. Gallois n'a-t-il pas pu lui donner une gifle cette fois-ci?
27. Où ont-ils finalement passé la nuit? Pourquoi?
28. Quels changements le voyage à Verdun a-t-il apportés?

LA VALLÉE INCONNUE

« Je n'aurais pas dû partir ce soir. Il y a des jours où il vaut mieux rester chez soi, pense Ghétary. Impossible d'avancer avec ce vent. On n'y voit pas à deux mètres°. Non, je n'aurais jamais dû partir! Quand j'ai vu ce chat noir traverser la rue devant moi, j'aurais dû retourner chez Carlos et y rester. Amélie peut dire tout ce qu'elle veut... je ne suis pas plus superstitieux▫ qu'un autre, mais quand un chat noir, seul, la nuit, passe devant vous sans même vous regarder, c'est un signe!... Je ne sais même plus où je suis. Je deviens vieux. Ce n'est pas maintenant que je pourrais passer la frontière quatre fois dans la nuit! La contrebande°, c'est bon pour les jeunes[1]. »

à deux mètres : *two meters away*

contrebande (f) **:** *smuggling*

Ghétary avance péniblement sur l'étroit sentier rendu glissant par la pluie. Les rochers, qui apparaissent et disparaissent avec les éclairs, prennent toutes sortes de formes fantastiques. Ghétary a de la peine à garder en équilibre sur son dos l'énorme sac gonflé de cigarettes▫, cinq cents paquets qui viennent de Tanger▫. Il est allé les prendre ce matin en Espagne. Il faut qu'il repasse la frontière cette nuit parce que le client sera demain matin au village d'Ibergarry.

« Je voudrais bien savoir où je suis! Je n'y comprends rien : le lac devrait se trouver là à droite. Il y a bien une demi-heure que j'ai passé le col d'Ispéguy. Je devrais être à Loussoa. Mais qu'est-ce que c'est que ce trou dans le rocher là-bas? Il n'y a pas de grotte à Loussoa. Si seulement cette pluie pouvait s'arrêter! Je

---

[1] This story takes place in the **Pays Basque,** a region divided by the French-Spanish border. The Basque people pay little attention to border regulations and frequently earn extra money by smuggling. They have a language and culture of their own, the origins of which are unknown.

suis trempé° jusqu'aux os. Je n'aurais jamais dû partir... Si ça continue, c'est à l'hôpital que je vais finir la saison. Je suis perdu comme un touriste! Je ferais mieux d'aller casser la croûte dans cette grotte... Carlos a eu une bonne idée de me donner cette bouteille de manzanilla[2]. Pas mal, cette grotte, un peu sombre, mais il n'y pleut pas au moins... Ouf, ça fait du bien d'être assis sur quelque chose de sec... »

trempé : *soaked*

« Aaaah! ce manzanilla n'était pas mauvais du tout. Je me sens mieux, mais je ne crois pas que je vais repartir tout de suite. Je crois que je vais dormir cinq minutes; après ça, je me sentirai tout à fait bien. J'espère que je ne vais pas finir comme Echtegarry... C'est un jour d'orage qu'il a disparu. Il y en a qui disent qu'il s'était arrêté dans une grotte. On a retrouvé son béret le printemps suivant, mais lui, on ne l'a jamais revu. Disparu. Pfuitt — plus personne! Moi, je ne crois pas à ces histoires de grottes. Et puis d'abord, comme il n'est jamais revenu, comment est-ce qu'on peut savoir que c'est dans une grotte qu'il a disparu, hein? Tout ça, ce sont des histoires de vieilles femmes... Disparu dans une grotte!... Et d'abord il n'y a pas de grotte dans la région!... Dis, Echtegarry, tu veux goûter° un peu de mon manzanilla? Tu dois en avoir besoin tout seul dans ta grotte... Ce qui est bien dans les grottes, c'est qu'on est tranquille... on vous laisse dormir... »

goûter : *to taste*

* * *

— Hé quoi? Qu'est-ce qu'il y a? Vous ne pouvez pas me laisser dormir, non? Qui êtes-vous? Qu'est-ce que vous voulez? Qu'est-ce que vous faites là? Qu'est-ce que voulez faire avec ces cordes? Je ne vous ai rien fait, moi! Eh là, doucement! Ne serrez pas comme ça, vous

---

[2] **Le manzanilla** is a dry Spanish wine.

me faites mal aux poignets°! Eh, ne touchez□ pas, ce sont mes cigarettes! Vous n'allez pas me dire que vous êtes des douaniers; vous n'avez pas l'uniforme. Qui êtes-vous? Vous n'êtes pas du pays. Je ne vous ai jamais vus. Mais répondez-moi! Qu'est-ce que je vous ai fait? Où est-ce que vous m'emmenez comme ça? Il faut prendre mes cigarettes! On ne peut pas les laisser là. 750 paquets d'américaines, ça fait au moins 1.500 francs!

— Laisse-les, tes cigarettes. Tu n'en auras pas besoin. On ne fume° pas chez nous.

— Où est-ce que c'est, « chez vous »?

— Dans la vallée. Tu ne vois pas le village là-bas?

— Non, avec tout ce soleil, après la grotte, je ne vois rien du tout. Et puis il n'y a pas de village par là.

— Tu n'as qu'à nous suivre.

Après quelques minutes de marche ils arrivent à l'entrée d'un petit village. Une lumière diffuse□ semble le protéger contre les hauts rochers qui l'entourent. Les maisons sont simples, primitives mêmes, et ont toutes le signe du svastika[3] bien en évidence□ sur la façade. Chaque maison est entourée d'un petit jardin plein de fleurs. Tout est silencieux.

— Voilà, on arrive, c'est le village.

— Tiens, je ne suis jamais venu ici. Comment est-ce que ça s'appelle?

— Nous allons t'amener chez le patriarche□. Il t'expliquera tout. Ce n'est plus très loin, au bout de la grand-rue°.

— C'est ça, la grand-rue? Elle est plutôt en mauvais état! Je n'aimerais pas passer par là avec ma Vespa.

— Nous n'avons pas de Vespa ici.

— C'est pourtant bien pratique. Moi j'en ai acheté une il y a deux ans et je fais du 60 sur la nouvelle route! Tenez, ce n'est pas pour me vanter, mais je vais de chez nous à Saint-Jean-de-Luz en deux heures et

poignet (m) : *wrist*

fumer : *to smoke*

grand-rue (f) : *main street*

---

[3] **Le svastika** is a mysterious sign found on the façade of many old Basque houses. Although it resembles a religious symbol of India, its origins are unknown.

demie. A bicyclette, ça doit vous prendre toute la journée pour aller à Saint-Jean-de-Luz.

— Nous n'avons pas de bicyclettes.

— Vous avez un autocar qui monte jusqu'ici?

— Non.

— Eh bien alors, comment est-ce que vous faites° pour aller en ville? Vous n'y allez pas à pied tout de même!

comment est-ce que vous faites : *how do you manage*

— Nous n'allons jamais en ville. Nous restons ici.

— Vous ne devez pas vous amuser beaucoup! Qu'est-ce que vous faites en hiver? Vous avez la télé au moins? Moi, j'en ai acheté une l'année dernière. En noir et blanc, bien sûr. Mais au *Café de la Poste*, ils ont la télé en couleur. Pour les matches de boxe□, c'est formidable.

— Nous n'avons pas de télévision.

— Qu'est-ce que vous faites alors? Vous devez drôlement vous ennuyer.

— Nous ne nous ennuyons pas.

— Mais qu'est-ce que vous faites alors?

— Nous sommes arrivés. Le conseil° t'attend. Entre. Le patriarche, c'est celui qui est assis au centre. C'est lui qui va t'expliquer.

conseil (m) : *council*

— Approche, mon fils. Je suis le patriarche des Atlantes.

— Des quoi? Des Aldudes? On est dans la vallée des Aldudes ici?

— Non, mon fils, la vallée des Atlantes. Les dieux t'ont ramené chez toi.

— Chez moi? Mais je suis de Saint-Étienne moi!

— Non, mon fils, tu es un Atlante.

— Moi? Un athlète□? Vous voulez rire! Quand j'étais jeune, j'étais encore assez bon à la pelote[4], mais je deviens vieux, les rhumatismes□, vous savez...

— Un Atlante, mon fils, un Atlante. Les Atlantes sont

---

[4] **La pelote** is a popular Basque game in which a player catches a ball in a long, curved basket strapped to his arm and throws it back against a wall.

les ancêtres du peuple basque. Tu as sans doute entendu parler du continent de l'Atlantide[5]?

— Vaguement, oui, dans une émission° à la télé. Si je me souviens bien, c'était plutôt ennuyeux.

émission (f) : *program*

— Je ne sais pas exactement de quoi tu parles, mais je suis sûr que ce n'était pas très sérieux. Nous, ici, sommes les seuls à connaître les faits. Le continent de l'Atlantide se trouvait, il y a très longtemps, dans l'Océan Atlantique, non loin de Gibraltar. Il a disparu un jour dans l'océan; seuls quelques-uns de ses habitants ont échappé à la mort. Ils se sont installés en Afrique, puis ont émigré vers le nord, ont traversé l'Espagne et sont arrivés dans les Pyrénées. Les Basques sont les seuls survivants des Atlantes. Pendant longtemps les Basques ont gardé leur originalité▫, mais ils ont fini par être influencés▫ par les civilisations étrangères. Nous sommes les seuls à être restés fidèles° aux traditions du peuple atlante.

fidèle : *faithful*

— Tout ça, c'est bien joli, vous devriez leur écrire, aux gens de la télé, pour leur expliquer. Moi, vous savez, je n'ai rien à faire dans tout ça. Si vous voulez bien m'excuser, il faut que je m'en aille maintenant, mon client m'attend.

— Il faut que tu oublies tout cela. Les dieux t'ont ramené vers ton peuple. Tu ne peux pas leur désobéir. On ne quitte jamais la vallée.

— Non, je vais vous dire. Ils doivent se tromper les dieux, parce que, vous voyez, moi, je suis de Saint-Étienne, et il faut que je parte parce que ma femme va s'inquiéter et puis j'ai un client qui m'attend à Ibergarry.

— Les dieux ne se trompent jamais... Mais nous avons assez parlé pour l'instant. Nous reprendrons cette conversation plus tard. On va t'apporter à manger° et puis on t'amènera chez toi.

à manger : *something to eat*

— Bon, comme ça, ça va. Si vous insistez, je man-

---

[5] According to legend, **l'Atlantide** (Atlantis) is a continent which existed at one time in the Atlantic Ocean, west of Gibraltar.

gerai bien un petit quelque chose avant de partir. Le client peut bien attendre un peu s'il les veut, ses cigarettes.

— Non, on va t'amener dans la maison que nous t'avons préparée dans notre village.

— Vous m'avez préparé une maison? Alors, vous m'attendiez? Ah, c'est bien gentil, tout ça, mais comme je vous le disais, je suis un peu pressé. Il faut que je rentre à Saint-Étienne. Je dois m'occuper de mes pommes de terre. Si j'attends encore, elles ne vaudront plus rien.

— Voilà ton repas, mon fils.

« Il est têtu°, le vieux. Mais moi, il ne me connaît pas, je suis encore plus têtu et je vais sortir d'ici, ça c'est sûr... Hum... ça n'a pas l'air mauvais, ce qu'ils m'apportent là. Ça sent bon. Hum! Pas mauvais du tout. Un bon goût de viande grillée. On dirait du lapin. Et ça? Qu'est-ce que c'est que ça? Ce n'est pas du vin. J'espère que ce n'est pas du Coca-Cola. C'est presque aussi bon que le manzanilla de Carlos... Qu'est-ce qu'ils ont bien pu faire de mes cigarettes? J'en fumerais bien une maintenant. »

têtu : *stubborn*

— Nous allons te conduire° chez toi. Es-tu prêt?

conduire : *to take, lead*

— Laissez-moi respirer un peu. Après un bon repas comme ça, il faut que je me repose. C'est le docteur qui l'a dit.

— Tu pourras te reposer chez toi.

— Bon, bon, d'accord. Allons-y.

« Je commence à en avoir assez de leurs histoires, on n'est pas libre ici! Et puis je commence à être fatigué avec toute cette marche. J'espère qu'ils ne m'ont pas donné une maison à l'autre bout du village. »

— Voilà, nous sommes arrivés. As-tu besoin de quelque chose?

— J'aimerais que vous me donniez mes cigarettes.

— Impossible. Le tabac est défendu ici. C'est mauvais pour la santé.

« Pas de télé, pas de cigarettes, pas d'autocar... mais qu'est-ce qu'ils font ici? Ils n'ont pas l'air très gais. La maison est plutôt triste° aussi, pas de lampes, pas de table, même pas de lit. Non, mais ils exagèrent! Ils ne veulent tout de même pas que je dorme sur cette peau de mouton. On se croirait dans un monastère□. Enfin, il faut se contenter de ce qu'on a. Ça a l'air assez épais, ça pourra peut-être aller pour une petite sieste... »

triste : *sad*

— Le patriarche te prie de bien vouloir aller lui rendre visite.

« Qu'est-ce qu'il veut encore. Si ce n'est pas malheureux de me réveiller comme ça. Moi qui dormais comme un enfant. Il va falloir que je fasse attention à° ce que je dis si je veux sortir d'ici. Allez, debout. J'y vais. J'espère qu'ils ne vont pas me garder longtemps comme ça. Bah, s'ils ne me laissent pas partir, il faudra que je trouve un moyen pour m'échapper. »

faire attention à : *to be careful of*

— Entre, mon fils. Assieds-toi près de moi. As-tu bien dormi?

— Pas mal, merci. Mais... comment est-ce que vous savez que j'ai dormi?

— Mon fils, je t'ai fait venir pour te révéler ce que tu dois savoir puisque tu vas vivre parmi nous.

— Alors, c'est ça : je suis prisonnier ici!

— Mon fils, tu n'es pas prisonnier, tu peux aller où tu veux dans la vallée. Tu es un des nôtres° maintenant.

un des nôtres : *one of us*

— C'est bien ce que je pensais! Je suis prisonnier. Non, mais écoutez. Il faut que vous compreniez : j'ai une femme, des enfants, il faut que je m'en aille!

— Mon fils, ta place□ est ici, dans la vallée de tes frères, les Atlantes.

« Pas moyen de lui faire comprendre! »

— C'est toi qui ne comprends pas, mon fils...

— Mais je... euh... vous...

— Ne t'étonne pas, mon fils, je sais ce que tu penses. Nous sommes télépathes□.

« Ça alors, si on ne peut plus penser, maintenant! »

— Mon fils, comme tu as dû t'en apercevoir, nous menons une vie très simple ici. Nous n'avons pas été affectés par ce que vous appelez « la civilisation ». Vous, vous vivez dans un monde de robots. Tout est fabriqué, artificiel°. Vous ne pensez plus, vous ne sentez plus rien. Nous, nous vivons de ce que la nature nous donne. Nos sens° et notre esprit° ont gardé toute leur vigueur° originelle°.

esprit (m) : *mind*

— Tout ça, ça a l'air plutôt vague.

— Tu comprendras plus tard, mon fils. Ton esprit a des possibilités que tu ne soupçonnes pas. Tu trouveras que la vie méditative° apporte de grandes satisfactions. Ton esprit sera dans un perpétuel° état de sérénité°. Nous commencerons ton éducation demain. Voilà Echtegarry qui t'a bien connu. Il va s'occuper de toi.

— Bonjour Ghétary. Comment ça va? Tu ne me reconnais pas?

— Euh non. Ah, attendez.... non, ce n'est pas possible! Vous êtes le vieil Echtegarry? Celui qui me racontait des histoires quand j'étais petit? Non, ce n'est pas possible. Echtegarry était déjà vieux quand j'étais enfant, il avait bien soixante-dix ans, il en aurait au moins cent dix maintenant... pourtant vous lui ressemblez drôlement!

— Mais oui, c'est bien moi, Echtegarry. Tu ne te trompes pas. Tu peux me tutoyer°, tu sais. Tout le monde se tutoie ici.

tutoyer : *to use the "tu" form*

— Mais vous... tu as l'air d'avoir trente ans!

— J'aurai cent quinze ans dans un mois. Avant, j'avais quelques rhumatismes, mais depuis que je suis ici, ça va beaucoup mieux. Viens, je vais t'emmener chez moi et te présenter ma famille. Llana, ma femme, sera contente de faire ta connaissance. Ce n'est pas souvent qu'on voit de nouvelles têtes. C'est la fille du patriarche. Elle n'a que quatre-vingts ans, mais...

— Quatre-vingts ans! Mais c'est une grand-mère!

— Oui, et même arrière-grand-mère°. Nous avons deux arrière-petits-enfants, quarante et un petits-enfants et quatorze enfants avec le petit dernier qui vient d'avoir trois ans. Un beau garçon, tu verras, et fort! Hier je l'ai emmené avec moi pour voir les moutons

arrière-grand-mère (f) : *great-grandmother*

dans la montagne et il en a ramené un sur son dos — ça fait bien une heure de marche. Ah, c'est un bon petit! Il est très en avance pour son âge.

— Et toi, à plus de cent ans, tu vas encore courir après les moutons dans la montagne?

— Rien ne vaut une vie saine° pour rester jeune. Et puis je fais ma cure▫ tous les ans.

sain : *healthy*

— Pourquoi? Tu as mal au foie? Tu vas à Vichy[6]?

— Non, c'est une cure pour rester jeune.

— Mais alors, on ne meurt pas ici?

— On ne meurt pas de maladie, non. On s'endort un jour et on ne se réveille plus.

— Vous vivez jusqu'à quel âge?

— Oh, je ne sais pas. Ceux qui s'en vont ne se souviennent même plus de leur âge.

— Mais dis-moi. Qu'est-ce que vous faites pendant la journée?

— Oh, nous cultivons des légumes et des fruits; nous méditons▫; nous pensons; nous jouissons de° la vie.

jouir de : *to enjoy, savor*

— Allez, entre nous, tu ne t'ennuies pas un peu?

— Pourquoi? Nous sommes jeunes, en bonne santé. Nous pouvons satisfaire tous nos besoins. Nous n'avons pas d'ennemis. Nos enfants ne connaissent pas le mot « guerre ». Pour eux, comme pour nous, la vie est toute simple. Nous avons le temps de jouir de chaque moment de notre vie. Nous sommes heureux, c'est tout... Voilà, nous sommes arrivés... Holà, les enfants. Nous avons un visiteur. Je vous amène Monsieur Ghétary. Il vient d'arriver de l'extérieur▫.... Ghétary, je te laisse avec les enfants. Je vais chercher Llana.

* * *

— Les enfants ne t'ont pas trop ennuyé?

---

[6] **Vichy** is a health resort in central France. Its mineral water is frequently prescribed as a cure for liver trouble, reputedly a common organic disorder among French people.

— Pas du tout, c'est moi qui les ai ennuyés.

— Grand-père! Grand-père! Tu sais ce qu'il nous a dit, M. Ghétary? Là, où il habite, ils ont des appareils avec des fils° — on tient une partie de l'appareil tout près de la bouche et on parle et des gens qui habitent dans des villages très loin peuvent vous entendre et vous répondre... Et puis ils ont des boîtes — on met une assiette noire dessus, et puis l'assiette tourne et ça fait de la musique et d'autres boîtes où on peut voir ce qui se passe partout dans le monde... Et puis ils ont des machines pour aller d'un village à un autre, des machines à deux roues° qui font du bruit « brroum » et qui vont plus vite qu'un cheval et des machines à quatre roues qui marchent toutes seules sans chevaux pour les tirer...

fil (m) : *wire*

roue (f) : *wheel*

— Et puis ils ont aussi toutes sortes de jeux qui ont l'air drôlement bien; un où deux hommes se donnent des tas de coups de poing; un autre où il y a deux équipes et on donne des coups de pied dans un ballon et tout le monde crie...

— Et puis, Grand-père, il y en a un autre où il y a trois équipes. Une équipe s'appelle l'équipe des contrebandiers et les autres, les équipes des douaniers. Les contrebandiers doivent faire passer un sac d'un côté de la montagne à l'autre. Il y a une ligne dans la montagne mais personne ne peut la voir, et c'est cette ligne que les contrebandiers doivent passer sans être vus par les douaniers.

— Mais tu oublies de dire que c'est très difficile parce qu'il y a une équipe de douaniers d'un côté de la ligne et une autre équipe de l'autre côté. Alors les contrebandiers marchent la nuit sans faire de bruit, et s'ils entendent un douanier, ils se cachent derrière un rocher. Et si les douaniers les voient, ils se mettent à crier et à siffler° et puis ils ont des petites machines qui font du feu et beaucoup de fumée et qui lancent de petites balles▫ qui peuvent vous tuer si elles vous touchent.

siffler : *to blow a whistle, whistle*

— Alors tu comprends, Grand-père, les contrebandiers ont très peur et ils courent pour que les douaniers ne puissent pas les attraper et si les douaniers ne peuvent pas les attraper avant qu'ils aient passé la ligne dans la montagne, c'est tant pis pour eux, ils ont perdu et ils reviennent chez eux. Mais les contrebandiers n'ont pas encore gagné parce qu'il faut qu'ils fassent attention à l'autre équipe de douaniers qui les attend de l'autre côté de la ligne. Mais s'ils gagnent, s'ils arrivent à échapper à tous les douaniers et à amener leur sac au village dans la vallée, ils vont tous célébrer dans une maison et ils boivent et ils chantent et ils font beaucoup de bruit. Alors les douaniers les entendent et ils viennent chanter avec eux et s'amuser et puis le lendemain tout le monde revient à sa place et on recommence le jeu.

— Si on jouait à ça? Oh, oui, on veut jouer à ça! Monsieur Ghétary, Grand-père, s'il vous plaît! Oh, si, on joue...

— Allez les enfants, du calme. Il est presque l'heure du dîner. Vous n'allez pas commencer à vous disperser□ dans la montagne. D'ailleurs M. Ghétary est fatigué et moi aussi.

— Oh, Grand-père, s'il te plaît. On sera très sages°, demain et tous les autres jours, on te promet.

sage : *"good"*

— On fera bien nos devoirs.

— Oh, Grand-père, juste pour une heure.

— Qu'est-ce que tu en dis, Echtegarry? On ne peut pas leur refuser ça, à ces petits.

« Et puis, qui sait, je pourrai peut-être en profiter pour m'échapper et retourner chez moi. »

— Bon, bon, d'accord. Mais dans une heure tout le monde est de retour à la maison. Votre grand-mère ne sera pas contente si on est en retard pour le dîner.

— Hourrah pour Grand-père et M. Ghétary!

— Bon, alors, faites trois équipes, vite. Voilà, c'est ça. Vous, vous serez les contrebandiers; je me mets avec vous. Vous, vous êtes les douaniers. Vous allez avec votre grand-père. Ce sac en papier, c'est notre marchandise. Maintenant, il nous faut une frontière.

— On peut prendre le ruisseau. Les petits te diront où c'est. Le point d'arrivée, ça va être la Grotte au Chien. Ce n'est pas très loin non plus. Disons que si vous autres contrebandiers réussissez à passer le sac et à arriver dans la grotte sans qu'on vous attrape, vous avez gagné. D'accord?

— D'accord. Bon, les douaniers, partez. N'oubliez pas que vous n'avez pas le droit de traverser le ruisseau. Bien, maintenant, qui est-ce qui court vite ici? Vous cinq? D'accord. Alors écoutez-moi. Vous cinq, vous marchez devant; vous ne vous cachez pas trop. Faites de votre mieux° pour attirer les douaniers et pendant ce temps nous autres on passe le ruisseau. Même chose de l'autre côté pour arriver jusqu'à la grotte. Compris? Bon, alors allons-y. Vous cinq, sifflez trois fois quand vous verrez que les douaniers vous suivent. Et nous, dès que nous serons de l'autre côté, on sifflera trois fois pour vous dire de venir nous rejoindre.

faire de son mieux : *to do one's best*

— Eh bien alors, qu'est-ce qui se passe? Pourquoi est-ce que vous revenez? Vous n'avez pas compris ce que vous avez à faire?

— Si, mais on ne trouve pas les douaniers.

— Bon, toi, grimpe° dans l'arbre et dis-nous si tu les vois. Ils ne se sont tout de même pas évaporés□, ces douaniers. Tu vois quelque chose?

grimper : *to climb*

— Oui, ça y est. Là, à droite, à deux cents mètres. Ils sont tous ensemble.

— Ils ne sont pas très malins, nos douaniers. Tant mieux, ça facilite□ les choses. Allez, en route, on passe tranquillement le ruisseau. Vous voyez, c'est facile. Mais de l'autre côté, ça va se compliquer□. Il y a votre grand-père, et lui, il connaît le jeu.

— Psitt, Monsieur Ghétary, attention! Là, à gauche, deux douaniers.

— Où?

— Là, derrière le buisson.

— Ah, oui, je les vois. C'est encore loin, cette grotte?

— Non, à cent mètres, pas plus.

— Bon, je vais te dire ce qu'on va faire. On va se couvrir de feuilles et on va ramper° dans l'herbe. Quand on sera à une dizaine de mètres de la grotte, on se relève et on court. Compris?

ramper : *to crawl*

— Compris.

— Ça va?

— Ça va. Vous voyez l'entrée de la grotte?

— Oui, je vois aussi des douaniers partout. Dès qu'ils ne regardent pas de notre côté, on y va.

— Je vais lancer une pierre derrière eux. Dès qu'ils tournent la tête, on peut courir. Prêt?

— Prêt. Vas-y, lance.

— Vite, à la grotte. Hé! Monsieur Ghétary! Baissez-vous! Attention à votre tête... L'entrée est...

* * *

« Oh, ma tête! Ma pauvre tête!... Mais il fait jour! J'aurai de la chance si mon client est toujours là! »

Ghétary retrouve facilement le chemin d'Ibergarry, mais quand il arrive à destination▫, son client est déjà parti.

Ghétary ne se souvient de rien. Pourtant la nuit il dort mal. Il rêve° souvent d'un vieil homme et d'un jeune couple entouré d'arrière-petits-enfants.

rêver : *to dream*

Un jour, il voit sa femme qui revient de la bibliothèque communale▫ avec un vieux volume▫ de *l'Atlantide*[7].

— Pourquoi est-ce que tu perds ton temps à lire des histoires comme ça? On sait bien que l'Atlantide n'a jamais existé!

Ce que Ghétary oublie, c'est que le grand-père maternel▫ de sa femme s'appelait Echtegarry.

NELLY MARANS

---

[7] ***L'Atlantide,*** by Pierre Benoit, is a novel which depicts the legendary continent and its civilization.

QUESTIONS

1. Pourquoi Ghétary pense-t-il qu'il aurait dû rester chez lui?
2. Qu'est-ce qu'il porte sur le dos?
3. Comment se rend-il compte qu'il a perdu son chemin?
4. Pourquoi décide-t-il de s'arrêter dans la grotte?
5. Pourquoi pense-t-il à Echtegarry?
6. Comment sait-il que les hommes qui le réveillent ne sont pas des douaniers?
7. Décrivez le village dans la vallée.
8. Pourquoi n'a-t-on pas besoin de bonnes routes dans le village?
9. A votre avis, comment Ghétary passe-t-il son temps en hiver?
10. Dans quelle vallée Ghétary se trouve-t-il?
11. Comment le patriarche explique-t-il la présence de son peuple dans la vallée?
12. Quelles raisons Ghétary donne-t-il de vouloir partir?
13. De quoi se compose□ le repas qu'on apporte à Ghétary?
14. Où le conduit-on ensuite?
15. Décrivez la maison de Ghétary. Qu'est-ce qu'il y a comme lit?
16. Pourquoi doit-il interrompre sa sieste?
17. Comment le patriarche explique-t-il à Ghétary qu'il ne peut pas quitter la vallée?
18. Pourquoi Ghétary doit-il faire attention à ce qu'il pense?
19. D'après le patriarche, comment vivent les Atlantes?
20. Pourquoi Ghétary ne peut-il pas croire que c'est Echtegarry qui lui parle?
21. Combien d'enfants Echtegarry a-t-il? Combien de petits-enfants? Combien d'arrière-petits-enfants?
22. Quel âge a Echtegarry? Et sa femme?
23. Que font les Atlantes pendant la journée?
24. D'après Echtegarry, pourquoi les Atlantes ne s'ennuient-ils pas?

25. Donnez le nom de ce que les enfants décrivent à Echtegarry :
    a. « les appareils avec des fils »
    b. « les assiettes noires »
    c. « les machines à deux roues qui font du bruit »
    d. « les machines à quatre roues »
26. De quels jeux les enfants parlent-ils?
27. D'après les enfants, combien d'équipes y a-t-il dans le « jeu de la contrebande » ?
28. Que doivent faire les contrebandiers pour « gagner » ?
29. Comment s'appelle « la ligne dans la montagne » ?
30. Que font les contrebandiers pour célébrer leur victoire?
31. Pourquoi Ghétary veut-il jouer avec les enfants?
32. Dans quelle équipe est Ghétary? Et Echtegarry?
33. Que prennent-ils comme frontière? Comme point d'arrivée?
34. Que vont faire cinq des « contrebandiers » ?
35. Quel signal° les autres contrebandiers vont-ils leur donner de l'autre côté du ruisseau? Pourquoi?
36. Pourquoi les cinq « contrebandiers » reviennent-ils?
37. Comment vont-ils faire pour arriver à la grotte sans être vus?
38. Où Ghétary se réveille-t-il? Comment se sent-il?
39. Pourquoi Ghétary dort-il mal la nuit?
40. Que dit-il à sa femme quand il voit qu'elle va lire *l'Atlantide*?
41. Comment s'appelait le grand-père de sa femme?
42. Comment expliquez-vous l'aventure de Ghétary?

LE TRÉSOR DU PROFESSEUR SABOURDI

INTERVIEW EXCLUSIVE° DU PROFESSEUR SABOURDI

Le professeur Jean Sabourdi, le grand spécialiste des études arabes en France, a accordé° une interview exclusive à *l'Écho° de Paris*. L'article suivant n'est qu'un fragment de cette interview. Nous ne publions° que la réponse du professeur à la question : « Qu'est-ce qui vous a amené à vous intéresser aux études arabes? » De notre correspondante à Marseille, Valérie Chambord :

Vous me demandez, Mademoiselle, comment j'ai été amené à étudier la langue arabe. Cela a commencé il y a bien longtemps. Vous n'étiez pas encore née, Mademoiselle.

J'avais douze ans, j'étais assez paresseux, assez sale, mais plein d'imagination. Je vivais la plupart du temps dans la rue car il n'y avait pas beaucoup de place à la maison. Avec un groupe de petits copains°, je passais mon temps après l'école à explorer les mystères° de Marseille. Tous les jours, il y avait quelque chose d'intéressant à voir ou à faire. Nous connaissions par cœur les rues étroites du quartier des pêcheurs, le port avec ses milliers de bateaux aux noms étranges, des bateaux des quatre coins du monde. Ici, j'ouvre une parenthèse° pour vous dire, Mademoiselle — puisque vous êtes parisienne, vous l'ignorez peut-être, — que Marseille est la ville du bout du monde, la porte de l'aventure; on y voit des marins japonais, chinois, arabes, des Indiens°, des Africains°, des gens blonds des mers du nord, des gens bronzés des pays du sud. On y parle toutes les langues.

Je disais donc que chaque jour nous partions à l'aventure dans les rues de Marseille; mais un de nos plus grands plaisirs était d'aller voir M. Wong, un vieux Chinois qui avait une boutique près de la rue des Cha-

copain (m) : *pal*

peliers. Ah, cette boutique! Je ne l'oublierai jamais. Elle s'appelait *Au céleste*□ *empire*□. On y trouvait toutes sortes de choses extraordinaires : des statuettes□ représentant des dragons□ à deux têtes, des serpents□, des costumes de toutes couleurs, des tasses° en porcelaine□ très fine□. La boutique était souvent pleine de marins aux bras tatoués□ que nous regardions avec un respect admiratif□. M. Wong était très indulgent avec nous. Il nous laissait entrer dans sa boutique et même toucher aux objets les moins fragiles. Assis dans un vieux fauteuil, il buvait des tasses et des tasses de thé vert et souriait avec patience□. Je crois qu'il nous aimait bien.

tasse (f) : *cup*

Un jour que nous étions en train d'explorer la boutique, nous avons découvert quelque chose qui a tout de suite excité notre imagination. Dans une grosse boîte noire, nous avons trouvé une carte. Ce n'était pas du papier mais du parchemin□ jauni par le temps. L'écriture était bizarre et le français presque incompréhensible□. La carte représentait ce qui semblait être la côte de Marseille et une île, très petite, qui s'appelait « l'île Rouge ». En haut de la page il y avait une inscription que nous avons pris beaucoup de temps à déchiffrer°. Nous avons enfin compris qu'elle disait : « Trésor du corsaire de l'île Rouge ». Un trésor! Vous pensez! Quel mot magique pour des enfants! Nous nous sommes regardés en silence et j'ai finalement eu le courage de demander à M. Wong le prix de la carte. Sans même la regarder, sans arrêter de boire son thé, il a répondu « 250 francs ».

déchiffrer : *to decipher*

Nous sommes sortis sans un mot et nous avons marché pendant longtemps dans les rues. Personne ne disait rien. Nous gardions les yeux baissés. Finalement nous nous sommes retrouvés sur le port. Là nous nous sommes assis sur le quai, les yeux tournés vers la mer. 250 francs! La somme nous paraissait énorme. Nous avions tous du mal à° nous retenir de pleurer, mais nous nous prenions pour des hommes et aucun d'entre nous ne voulait avoir l'air d'un enfant. Au bout d'un

avoir du mal à : *to have a hard time*

moment je me suis levé et j'ai déclaré qu'il nous fallait absolument cette carte et qu'on allait trouver un moyen de se procurer les 250 francs. Paoli, qui avait dix frères et sœurs, m'a regardé d'un air malheureux. Ils baissaient tous la tête et ne disaient rien. J'ai réfléchi pendant un long moment et c'est alors que j'ai commencé le plus beau discours° de ma carrière. Quand j'y pense, je suis vraiment fier de mon éloquence de ce jour-là. Je leur ai dit qu'on allait travailler pendant les vacances (qui étaient dans deux semaines) et qu'on allait gagner les 250 francs, que 250 francs, ça n'était rien en comparaison▫ des millions du trésor, que nous allions devenir très riches et que bientôt nous pourrions faire des choses extraordinaires. Là, Paoli m'a interrompu et m'a demandé avec une toute petite voix comment je savais tout ça. Je lui ai répondu que les trésors des corsaires étaient toujours fabuleux▫, que c'était dans tous les livres. La logique de mon argument▫ a balayé tous les doutes. Je leur ai dit ensuite qu'il fallait jurer° de garder le secret et que celui qui parlerait du trésor serait exclu▫ du groupe. J'ai proposé de parler de nos projets à M. Wong et même de lui demander de garder notre argent jusqu'à ce qu'on en ait assez pour payer la carte. Il n'y a eu aucune objection▫.

discours (m) : *speech*

jurer : *to swear*

M. Wong a été d'accord immédiatement. Il a juré de garder le secret lui aussi et il a promis de mettre la carte de côté pour nous dans un endroit sûr.

Les vacances sont arrivées. Tous les matins, sans rien dire à nos parents, qui d'ailleurs ne nous demandaient jamais rien, nous sortions très tôt pour chercher du travail. Je faisais toutes sortes de choses : je repêchais des oranges tombées dans le port, je portais les valises des touristes, j'aidais les pêcheurs à laver leurs bateaux. Mes copains travaillaient aussi dur que moi. Tous les soirs nous allions donner nos quelques francs à M. Wong. Puis nous allions nous asseoir° sur le port, et avant de rentrer pour le dîner, nous parlions de notre secret, de notre trésor et de nos projets. Chacun savait déjà comment il allait dépenser son argent — car aucun

s'asseoir : *to sit down*

de nous ne pensait à le garder pour plus tard. Je me souviens que Paoli voulait donner son argent à ses frères et sœurs. Mais la plupart d'entre nous avaient des projets beaucoup plus égoïstes▫ : on parlait de bicyclettes, de bateaux à voiles, de voyage en Amérique, en Chine. Naturellement nous étions sûrs que le trésor existait et que nous allions le trouver sans difficulté.

Au bout d'un mois, M. Wong nous a dit qu'il y avait assez d'argent et nous a donné la carte. Je suis sûr que nous étions encore loin des 250 francs. Je crois maintenant que l'argent ne l'intéressait pas du tout. Il voulait simplement nous empêcher de traîner° sans rien faire dans les rues de Marseille.

traîner : *to roam around*

C'était bien beau d'avoir la carte, mais il y avait d'autres difficultés à surmonter▫. Il n'y avait pas d'île Rouge près de Marseille et nous ne savions pas lire la vieille carte. Les indications étaient vagues. M. Wong ne comprenait rien lui-même et ne savait pas comment cette carte était arrivée dans sa boutique. Nous ne voulions la montrer à personne d'autre, car il fallait garder le secret. Nous avons passé des journées entières à la bibliothèque et nous avons étudié les atlas▫ et les cartes de la région de Marseille. Après bien des° efforts nous avons fini par décider que l'île Rouge devait être l'une des trois petites îles situées à l'ouest du Vieux Port. Il fallait explorer les trois. Il y avait d'après notre carte une grotte au nord de l'île et dans cette grotte, caché derrière un gros rocher, le trésor du corsaire.

bien des : *many*

Mais pour arriver jusqu'aux îles il nous fallait un bateau et nous n'en avions pas. Andréani a trouvé la solution. Son frère travaillait au Grand Hôtel et emmenait parfois les touristes visiter le port dans un bateau à moteur. Naturellement le bateau ne lui appartenait pas, mais Andréani a dit qu'on pouvait « l'emprunter » pendant la nuit pourvu qu'on le remette en place tôt le lendemain matin. Partir pendant la nuit nous a semblé une excellente idée : c'était tout à fait comme dans les romans d'aventure.

Nous avons choisi une nuit sans lune pour notre expédition. Nous sommes allés nous coucher à l'heure habituelle. Quand tout le monde a été endormi, nous nous sommes glissés dehors, nos chaussures à la main. A minuit nous étions tous rassemblés dans un coin du Vieux Port. Personne ne nous avait vus. Nous sommes sortis du port à la rame pour ne pas faire de bruit, puis nous avons mis le moteur en marche°. Dans le bateau, il y avait des cordes, des pelles, des lampes de poche.

mettre en marche : *to start*

Nous sommes arrivés rapidement à la première île. Paoli est resté de garde près du bateau, malgré ses protestations□. Nous sommes partis explorer l'île. Il faisait froid. Nous avions tous un peu peur, mais nous ne voulions pas le dire. L'île était toute petite et nous avons vite vu qu'il n'y avait pas de grotte.

Sur la deuxième île, nous avons découvert une grotte très profonde. J'ai pris le commandement des opérations et je suis entré le premier, ma lampe de poche à la main. Je ne voyais pas grand-chose, mais il m'a semblé qu'il y avait une sorte de tunnel□ au fond de la grotte. Je me suis avancé pour voir ce que c'était et j'ai perdu l'équilibre...

Quand je me suis réveillé, j'étais dans un lit d'hôpital et j'avais une jambe dans le plâtre°. Mes parents étaient là très inquiets; ma mère pleurait. Je suis resté une semaine à l'hôpital. Mes copains sont venus me voir et m'ont raconté ce qui s'était passé. Après ma chute, ils avaient eu très peur parce que, comme je ne bougeais pas, ils croyaient que j'étais mort. Au matin, un bateau de la police maritime alertée□ par nos familles nous a finalement retrouvés et ramenés au port. On m'a transporté à l'hôpital dans un état assez grave. Mais le pire c'était que j'ai eu une forte fièvre; j'ai parlé et raconté toute l'histoire du trésor. Mes parents m'ont obligé à leur expliquer. Heureusement ils ont compris qu'il ne servirait à rien° de nous empêcher d'aller chercher notre trésor. Ils ont donc organisé eux-mêmes une expédition. Je n'y ai pas participé□ parce que ma

plâtre (m) **:** *cast*

ne servir à rien : *to be of no use*

jambe n'était pas encore assez forte. Mais mes copains et M. Wong me représentaient.

Ils ont finalement trouvé la grotte sur la troisième île. Tout était là, excepté le trésor. Derrière le rocher, il y avait un squelette▫ et une vieille boîte en métal▫. Dans la boîte, rien; pas de bijoux, pas de pierres précieuses▫, pas de pièces d'or°.

Tout ce travail pour rien! Dans la boîte il n'y avait qu'un vieux parchemin. Quand les autres m'ont dit ça, j'ai déclaré que c'étaient certainement les dernières indications pour arriver au trésor. Mais les autres m'ont dit que ce n'était pas écrit en français, que M. Wong croyait que c'était de l'arabe.

pièce (f) **d'or** (m) : *gold coin*

Pendant les longues journées que j'ai passées sans pouvoir marcher, j'ai pensé au manuscrit▫. Quand j'ai été guéri, je suis allé avec M. Wong au musée oriental et nous avons montré notre manuscrit au directeur. Cette fois c'était un vrai trésor. Des spécialistes sont arrivés du monde entier pour l'étudier. Notre manuscrit était le journal d'un corsaire arabe du XVIᵉ siècle, un document qui se trouve maintenant au Musée d'Archéologie▫ méditerranéenne▫. Le gouvernement l'a acheté et nous sommes tous devenus riches.

Depuis, je me suis toujours passionné pour° la langue arabe et les vieux manuscrits. Et voilà comment, Mademoiselle, je suis devenu un orientaliste▫.

se passionner pour : *to be very interested in*

Quelques semaines après la publication▫ de cet article, *l'Écho de Paris* a reçu la lettre suivante :

A l'attention de Mademoiselle Valérie Chambord.

Chère Mademoiselle,

J'ai été très heureux de faire votre connaissance l'autre jour. Je n'ai malheureusement pas souvent l'occasion de passer un après-midi aussi agréable. Vous avez eu beaucoup de patience avec le vieil homme un peu ennuyeux que je suis. C'est pourquoi j'ai beaucoup de remords° d'avoir modifié° la vérité. En fait, tout ce que je vous ai dit, je l'ai inventé. Le fameux° manuscrit a été découvert par un de mes collègues et moi-même au cours de l'un de nos voyages en Arabie Saoudite°. Je tiens à vous dire aussi que j'ai eu une jeunesse rangée et studieuse°, c'est-à-dire, assez monotone. Je vous remercie de m'avoir donné l'occasion de vivre pendant quelques heures la jeunesse dont j'ai toujours rêvé.

remords (m) : *remorse*

Je vous prie de me pardonner°, chère Mademoiselle, et de bien vouloir recevoir mes salutations° distinguées.

Jean Sabourdi

NELLY MARANS

QUESTIONS

1. Qui est Jean Sabourdi? A qui raconte-t-il l'histoire?
2. Où Jean Sabourdi allait-il après l'école quand il était jeune? Avec qui?
3. Qui était M. Wong? Pourquoi les garçons aimaient-ils lui rendre visite?
4. Que faisait M. Wong pendant que les garçons exploraient la boutique?
5. Décrivez le carte que les garçons ont trouvée.
6. Combien M. Wong a-t-il dit que la carte coûtait?
7. Pourquoi les garçons étaient-ils malheureux?
8. Quelle solution Jean Sabourdi a-t-il proposée à ses amis?
9. Qu'est-ce que les garçons ont juré de faire?
10. Qu'est-ce qu'ils ont demandé à M. Wong?
11. Que faisait Jean Sabourdi pour gagner de l'argent?
12. Où les garçons allaient-ils avant le dîner? Qu'y faisaient-ils?
13. Comment allaient-ils dépenser leur argent?
14. D'après le professeur Sabourdi, est-ce que M. Wong s'intéressait à l'argent? Pourquoi a-t-il vendu la carte aux garçons au lieu de la leur donner?

15. Comment les garçons ont-ils réussi à déterminer l'endroit où se trouvait l'île Rouge?
16. Quel bateau allaient-ils utiliser?
17. Pourquoi ont-ils décidé de partir la nuit? A quelle heure ont-ils commencé leur expédition?
18. Comment sont-ils sortis du port? Pourquoi?
19. Pourquoi ont-ils passé très peu de temps sur la première île?
20. Qu'y avait-il sur la deuxième île? Qu'est-ce que Jean Sabourdi a fait?
21. Qu'est-ce qui lui est arrivé?
22. Où Jean Sabourdi s'est-il réveillé? Dans quel état était-il?
23. Pourquoi ses amis ont-ils eu très peur après sa chute?
24. Comment les garçons sont-ils revenus au port?
25. Comment les parents de Jean Sabourdi ont-ils appris l'histoire du trésor?
26. Qu'est-ce qu'ils ont décidé de faire? Pourquoi?
27. Qu'est-ce qu'ils ont trouvé sur la troisième île?
28. Qu'est-ce qu'il y avait dans la boîte? Pourquoi Jean Sabourdi s'y intéressait-il?
29. Pourquoi Jean Sabourdi et ses amis sont-ils devenus riches?
30. Pourquoi Jean Sabourdi a-t-il écrit à Valérie Chambord après la publication de l'article?

AVEC UN PEU DE CHANCE...

La chaleur de midi est écrasante. Le mas[1] Bertier semble désert. Jean-Marc se repose étendu sur une chaise longue°, à l'ombre° insuffisante° d'un petit arbre. Si seulement Sarah pouvait avoir un père différent, pense-t-il. Parlez-moi de vacances agréables! Sarah, j'espère que tu te rends compte de ce que je fais pour toi!

ombre (f) : *shade*

Sarah et lui s'étaient connus à Paris où ils faisaient tous deux leurs études. Lorsqu'ils avaient annoncé au père de Sarah qu'ils voulaient se marier, il n'avait pas dit non, mais il n'avait pas eu l'air enchanté non plus. « Les choses vont vite chez la jeune génération, avait grommelé° Roger Bertier. De mon temps, on restait fiancés pendant au moins cinq ans. Vous êtes jeunes, vous avez le temps. On verra plus tard. Finissez d'abord vos études, jeune homme. Ensuite vous pourrez parler mariage. »

grommeler : *to grumble*

Jean-Marc vient de finir Sciences-Po[2] et Bertier l'a invité à passer ses vacances au mas. Mais chaque fois que Jean-Marc ou Sarah essaient de parler de mariage, Bertier parle d'autre chose. Bertier appartient à cette race d'hommes qui ont toujours vécu en plein air et qui n'aiment pas beaucoup les gens des villes. Les Bertier sont installés en Camargue depuis des siècles et Roger Bertier est très attaché aux traditions de cette terre. Sa femme est morte lorsque Sarah était toute petite et depuis que sa fille est partie à l'université, il vit en solitaire et s'occupe de ses taureaux et de ses chevaux. On le respecte dans la région, mais c'est un

---

[1] **Un mas** is a farm in the **Midi.**

[2] **Sciences-Po** is a common way to refer to the **Institut d'Études Politiques de Paris,** the political science college of the University of Paris, formerly called **L'École Libre des Sciences Politiques.**

respect très proche de° la peur, car Bertier a un caractère assez violent. Il y a quelques jours Jean-Marc a assisté à une de ses terribles colères : l'agent d'une compagnie d'Arles était venu proposer à Bertier de lui acheter une partie de ses terres. Cette compagnie était déjà propriétaire▫ de terres voisines où poussait du riz. Bertier avait jeté l'agent dehors en lui criant que s'il remettait les pieds au mas, ce serait en ambulance▫ qu'il repartirait à Arles.

proche de : *close to*

Jean-Marc se sent toujours mal à l'aise en présence de Bertier. Il se dit qu'il vaut mieux ne pas lui résister▫ ; pourtant, lorsqu'il est seul comme maintenant, il a envie de se révolter▫. Il serait si simple de se marier, comme ça, sans s'inquiéter de ce qu'en pense Bertier : ils sont majeurs,° ils n'ont pas besoin de son autorisation. Mais Sarah tient au consentement▫ paternel▫. Alors Jean-Marc passe son temps à essayer de plaire à Bertier, à essayer de lui prouver qu'il n'a pas peur de la vie dure. Si seulement...

majeur : *of age*

La grosse voix de Bertier interrompt ses réflexions :

— Ça c'est le comble! Ils viennent planter▫ leur riz, ils mettent des fils barbelés partout... Que ça peut être dangereux pour les bêtes, ça, non, ils n'y pensent pas!

— Qu'est-ce qui se passe?

— Ah! Toi! Au lieu de rêver, tu ferais mieux de faire attention à ce qui se passe autour de toi! Le Noir vient de se blesser° sur des fils barbelés. Allez, viens, on y va.

se blesser : *to injure oneself*

— Mais Sarah et moi, nous...

— Pas d'histoires, on y va. Sarah, tu restes ici, on n'a pas besoin de femmes.

Sarah s'approche de Jean-Marc et lui dit à voix basse :

— Allez, vas-y. Pour me faire plaisir. Il faut être patient avec papa : il est un peu brusque▫, mais au fond il est très bon, tu sais. Et puis, le Noir, c'est un de ses meilleurs taureaux. Il comptait le faire courir dans la cocarde[3].

---

[3] **La cocarde** is a popular game in the Camargue in which the participants attempt to remove a rosette, **une cocarde**, from between the horns of a bull.

— Bon, bon, d'accord, j'y vais.

Accompagné de Jean-Marc et de deux gardians[4], Bertier galope□ vers l'endroit où se trouve le taureau blessé. Ils le trouvent près de la rivière, couché sur le sol°. Les quatre hommes mettent pied à terre et se précipitent vers lui. Bertier se baisse pour l'examiner.

couché sur le sol : *lying on the ground*

— Ce n'est pas trop grave, — mais pour la cocarde, c'est fini; il vaut mieux ne plus en parler. Mon meilleur taureau! C'est toujours comme ça quand on laisse venir les étrangers, les touristes et tout le reste.

— Vous êtes sûr qu'il ne sera pas guéri pour la cocarde?

— Mon garçon, je sais ce que je dis. Deux semaines au moins!

— Pourtant, ça n'a pas l'air d'être grand-chose. Dans une semaine...

— Ce n'est pas toi qui vas m'apprendre quelque chose sur les taureaux! Un garçon de la ville comme toi! Tu n'y connais rien.

— Bien sûr, encore une fois je n'y connais rien. Ce n'est pas parce que je ne suis pas du pays que je suis un imbécile□! Je sais que vous aimeriez mieux que Sarah épouse quelqu'un du pays, — mais il faut vous faire une raison°. Et puis d'abord, qu'est-ce qu'ils ont de plus que moi, les garçons du pays, hein?

se faire une raison : *to resign oneself*

— Ça alors! J'aimerais bien te voir, toi, dans l'arène!□ Tu n'y resterais pas deux secondes; tu te sauverais comme un lapin!

— Oh, vous et votre cocarde, — on dirait que vous ne vivez que pour ça. — Et d'abord, ça n'a pas l'air si difficile que ça.

— Ah non? Alors qu'est-ce que tu attends pour t'inscrire°?

s'inscrire : *to sign up*

— M'inscrire? Euh... Rien... Rien.

— Bon. C'est décidé. On va t'inscrire demain.

Le retour au mas est silencieux. Sarah les attend, assise sur la barrière du corral□.

---

[4] **Un gardian** is a cowboy who looks after the bulls raised in the Camargue.

— Papa, c'est grave? Qu'est-ce s'est passé?

— Le Noir s'est blessé sur des fils barbelés que ces... d'Arles ont installé□ autour de leurs plantations□ ; il ne pourra pas courir dans la cocarde. Mais tout n'est pas perdu; le mas Bertier sera bien représenté. Jean-Marc va s'inscrire demain.

— Quoi? Vous n'êtes pas sérieux! Ah non, Jean-Marc, tu ne vas pas faire ça! Papa, comment est-ce que tu peux le laisser faire une chose si stupide?

— Oh, Sarah. Arrête de faire la petite fille. Allez, je vous laisse.

Une fois seuls, Sarah ne retient plus sa colère :

— Jean-Marc, c'est une plaisanterie° ou quoi? Tu ne peux pas faire ça; c'est très dangereux quand on n'a pas l'habitude! Non, c'est trop bête! Attends-moi ici. Je reviens.

plaisanterie (f) : *joke*

— Où est-ce que tu vas?

— Qu'est-ce que tu crois? Je vais dire à papa que tu ne t'es jamais approché à moins de dix mètres d'un taureau de ta vie.

— Écoute, Sarah, essaie de comprendre. Moi, j'en ai assez. Ton père est toujours en train de me dire que je ne comprends rien à rien. D'accord, je n'ai pas été très malin, mais je ne peux pas reculer° maintenant. J'aurais l'air d'un idiot□, tu comprends?

reculer : *to retreat*

— Vous êtes aussi têtus l'un que l'autre! Ah, vous vous croyez malins, tous les deux. Enfin, débrouillez-vous. Moi, je m'en lave les mains!

— Allez, Sarah, ne t'en fais pas. Il ne m'arrivera rien. Tu verras, tout ira bien. Viens, on va faire une promenade. Ça va nous changer les idées. Allez, un petit sourire.

D'habitude Sarah aime ces promenades de fin d'après-midi quand la chaleur est tombée. Chaque fois qu'ils le peuvent, Jean-Marc et elle partent à cheval et galopent à toute vitesse pendant des kilomètres. Dans cette plaine qui paraît à première vue déserte et aride, Sarah connaît mille endroits pittoresques. Les étangs° s'animent quand ils passent de toutes sortes d'oiseaux de couleurs.

étang (m) : *marsh, pond*

Au loin le contraste des chevaux blancs et des taureaux noirs est intensifié□ par la lumière du soleil qui descend au-dessus de l'horizon.

* * *

— Sarah!
— Oui, papa. Qu'est-ce qu'il y a?
— Va voir ce qu'il veut, Maréchal. Je suis occupé.

Maréchal est le voisin le plus proche de Bertier. Il élève aussi des taureaux, mais n'hésite pas à louer des chevaux aux touristes pour de petites promenades, ce qui lui donne l'air d'un traître□ aux yeux de Bertier. A part ça, Maréchal et lui s'entendent assez bien.

Maréchal s'approche de Jean-Marc et Sarah :

— Alors, les amoureux°, ça va? Eh bien, mon garçon, il paraît qu'on va participer à la cocarde. C'est vrai, ça?

amoureux (m) : *lovebirds*

— C'est vrai, répond Jean-Marc.

— Eh bien, bonne chance. Ça promet d'être une cocarde intéressante. Et toi, Sarah, ça va? Chaque fois que je te vois, tu es plus jolie. Ce n'est pas comme ton père, chaque fois que je le vois, il est un peu plus...

Bertier apparaît dans la porte du mas.

— Dis donc, Maréchal, qu'est-ce que tu es encore en train de raconter sur moi? Et puis qu'est-ce que tu veux? Dis vite, parce que je suis occupé.

— Rien. Je viens voir comment ça va, c'est tout. On devient civilisé au contact des touristes. Tu devrais demander à ta fille de te donner des leçons, ça ne te ferait pas de mal. A propos, c'est pour quand, le mariage?

— Mêle-toi de ce qui te regarde°, Maréchal. Si tu n'as plus rien à dire, au revoir.

mêle-toi de ce qui te regarde : *mind your own business*

— Bon, bon, je m'en vais puisque tu es de mauvaise humeur. Ah oui, je voulais te dire que Blacky n'a jamais été en aussi bonne forme que cette année. Ça ne m'étonnerait pas qu'il gagne cette fois-ci. Allez, à demain.

— Blacky? C'est un de ses gardians? demande Jean-Marc.

— Mais non, répond Bertier. C'est un taureau! Il se croit malin, Maréchal, avec ses noms étrangers!... Et puis il vient toujours au mauvais moment. Avec tout ça, je n'ai pas fini mon travail. Si vous n'avez rien à faire, vous deux, venez donc m'aider.

— Dans deux minutes, papa.

Bertier part en direction du corral.

— Dis-moi, dit Jean-Marc. Un taureau peut gagner la cocarde?

— Oui, c'est possible. Tu vois, il y a plusieurs concurrents° pour un seul taureau. Chacun d'eux a un temps limite▫ pour enlever la cocarde. Si aucun ne réussit, c'est le taureau qui gagne.

concurrent (m) : *contestant*

— Ça arrive souvent?

— Non, c'est rare... Mais tu vois, tu n'as aucune idée de ce que c'est. Jean-Marc, s'il te plaît, dis que tu es malade ou quelque chose, mais ne va pas à la cocarde demain. S'il te plaît, dis.

— Alors, vous venez? crie Bertier. Qu'est-ce que vous attendez?

— On vient, papa, on vient.

Vers six heures du matin, Jean-Marc, Bertier et plusieurs gardians partent pour aller chercher les taureaux qui participeront à la fête. Ils en trouvent tout de suite deux, mais mettent une heure et demie à trouver les deux autres qui sont couchés dans les buissons. Bertier attache une grosse cloche au cou de l'un des taureaux et le pousse devant lui. Les trois autres le suivent jusqu'au corral.

Au petit déjeuner, Jean-Marc se sent nerveux. Il ne parle pas beaucoup et n'a pas très faim. Bertier, lui, est toujours de mauvaise humeur. Il mange en grommelant de temps en temps des mots incompréhensibles. Puis il sort pour vérifier une dernière fois que tout est en ordre. Sarah en profite pour parler à Jean-Marc :

— Alors, c'est décidé? Tu veux toujours jouer les durs°? Tu peux finir à l'hôpital, tu sais... Jean-Marc, s'il te plaît! Papa pourra penser ce qu'il voudra, ça n'a aucune importance.

jouer les durs (m) : *to play the tough guy*

— Je t'ai déjà dit qu'il était trop tard. Et puis, qui sait, j'aurai peut-être un peu de chance.

Il est l'heure de partir pour le village. Les taureaux sont entourés d'une dizaine de gardians à cheval. Bertier, Jean-Marc et Sarah suivent la caravane□ de près.

Quand ils arrivent au village, ils sont accueillis par des cris d'enthousiasme. Tous les gens du pays sont rassemblés au bord de la route. Les jeunes gens courent à côté des gardians et essaient de faire peur aux chevaux. Ils crient, ils sifflent, ils lancent des pétards°. Un pétard tombe sous un cheval. Celui-ci prend peur et se met à galoper. Deux des taureaux en profitent pour s'échapper. Des cris de joie, de peur, de confusion□, les gens courent de tous côtés, entrent dans les cafés, cherchent refuge□ derrière les arbres. Finalement, deux gardians réussissent à attraper les taureaux et les poussent dans le corral. Puis ils vont retrouver les autres gardians au café. Bertier offre à boire à tout le monde.

pétard (m) : *firecracker*

— Eh, patron°! C'est vrai ce que j'entends? Le jeune homme de votre fille va tenter sa chance?

patron (m) : *boss*

— Il fera de son mieux.

Vers trois heures, tout le monde se rassemble sur la place. On a construit une petite arène pour l'occasion. La fête va commencer. Sarah quitte Jean-Marc pour aller chercher une place et Bertier va voir une dernière fois si tout va bien au corral. Jean-Marc parle avec les autres concurrents. Il y a dans l'air une atmosphère d'impatience fébrile. Peu à peu, Jean-Marc sent son courage revenir : si des garçons de quinze ans peuvent le faire, pourquoi pas lui?

Plusieurs jeunes gens attendent déjà dans l'arène. Le signal est donné. Le taureau entre en soufflant°. Le premier concurrent essaie d'enlever la cocarde mais a l'air d'avoir peur de s'approcher trop près du taureau.

souffler : *to snort, blow*

Il n'y arrive pas. Bientôt le temps limite est passé et il doit laisser un autre tenter sa chance. Les concurrents se succèdent□ jusqu'à ce que l'un d'entre eux enlève la cocarde. Un autre taureau et d'autres concurrents passent alors dans l'arène. Le jeu se répète une dizaine de fois. La plupart des concurrents font des efforts prodigieux□ d'acrobatie□ mais seuls quelques-uns réussissent à enlever la cocarde.

Puis quelqu'un pousse Jean-Marc vers le centre de l'arène : c'est son tour°. Il a droit au dernier taureau. Là, seul, au centre de l'arène, Jean-Marc se sent tout à coup paralysé. Le taureau lui paraît énorme et semble se précipiter droit sur lui. L'arène tourne, les cris des gens lui font mal à la tête. Une clameur immense. Jean-Marc attend le choc, mais rien. Il ouvre les yeux et voit le taureau couché à ses pieds. Il croit rêver. Qu'est-ce qui se passe? La foule proteste. Les autres concurrents discutent avec de grands gestes. Un gardian examine le taureau.

tour (m) : *turn*

— Cette bête dort! Ce n'est pas naturel, ça!

Jean-Marc ne sait pas quoi faire. Il cherche Sarah des yeux. Elle n'est pas à sa place. Il croit comprendre. « Sarah, Sarah, se dit-il, tu me fais passer pour° un idiot aux yeux de tous ces gens! »

passer pour : *to look like*

« Un taureau! Un taureau! Amenez un autre taureau! » crient quelques spectateurs, et bientôt toute la foule répète la même chose. Les organisateurs de la fête sont embarrassés : d'habitude on ne fait pas courir le même taureau deux fois. Bertier s'y oppose absolument : la tradition, c'est la tradition. Mais finalement on décide de faire courir un des premiers taureaux.

Le taureau entre dans l'arène. Jean-Marc ne voit plus rien autour de lui; il n'entend plus rien; il est comme hypnotisé□ par la tache° de couleur qui oscille sur la tête du taureau. Le taureau approche lentement. Jean-Marc ferme les yeux un instant. Puis il se lance en avant, enlève la tache et se jette à terre. La foule l'acclame□. Il se relève, encore étourdi. Il ne sait pas

tache (f) : *spot*

très bien ce qui s'est passé. Il regarde la cocarde dans sa main avec un air incrédule◻. Des jeunes gens se précipitent vers lui. Ils le portent en triomphe dans les rues du village. Le tour◻ finit au café où chacun tient à féliciter° Jean-Marc, et Bertier le premier :

— Mon garçon, je suis fier de toi. Je dois dire que tu m'as un peu étonné.

féliciter : *to congratulate*

Après avoir bien joui de son triomphe, Jean-Marc revient au mas avec Sarah et son père. Bertier a invité Maréchal et les gardians à boire quelque chose en l'honneur de Jean-Marc.

Assis à une grande table, Jean-Marc raconte pour la centième fois comment il a fait pour enlever la cocarde :

—... et voilà. Mais vous savez, je dois vous dire que je ne me suis pas rendu compte de ce que je faisais. Si c'était à refaire, je ne le ferais pas... C'est que ça peut être dangereux, ce jeu-là!... Bon! Eh bien, maintenant que nous sommes entre amis, j'aimerais qu'on parle un peu de cette histoire de taureau endormi.

— Ah oui, le taureau, dit Maréchal. Qu'est-ce qui a bien pu arriver à cette pauvre bête? C'était un de tes taureaux, Bertier, non?

— Oui, un des meilleurs.

— Et il a l'habitude de s'endormir comme ça, quand l'envie le prend?

— Moi, je vais vous dire ce qui s'est passé, dit Jean-Marc. Ce taureau a été drogué◻. Je sais que c'est par quelqu'un qui a voulu me protéger, et maintenant qu'on est entre amis, elle peut bien se faire connaître... Alors, personne?... Sarah, tu n'as rien à dire?

— Mais Jean-Marc, ce n'est pas moi, je te jure que ce n'est pas moi.

— Allez, allez, il n'y a pas besoin de s'exciter comme ça. C'est moi qui l'ai endormi, ce taureau. Je voulais simplement le rendre moins nerveux. Seulement la dose◻ était un peu trop forte... Il est à moi non? Je peux bien en faire ce que je veux!

Tous les regards se tournent vers Bertier qui a un gros sourire :

— Je ne voulais tout de même pas qu'il arrive quelque chose à mon futur▫ gendre°!

gendre (m) : *son-in-law*

KATIA LUTZ

QUESTIONS

1. Quelle a été la réaction de Roger Bertier quand il a appris que Jean-Marc et Sarah voulaient se marier?
2. Quelle sorte d'homme est Bertier?
3. Pourquoi l'agent de la compagnie d'Arles est-il venu au mas? Quelle a été la réaction de Bertier?
4. Pourquoi Jean-Marc et Sarah n'ont-ils pas besoin de l'autorisation de Bertier pour se marier?
5. Pourquoi Jean-Marc essaie-t-il de plaire à Bertier?
6. Pourquoi Bertier interrompt-il le repos de Jean-Marc?
7. Comment Sarah explique-t-elle à Jean-Marc la colère de son père?
8. D'après Bertier, dans combien de temps le taureau sera-t-il guéri?
9. Pourquoi Jean-Marc se met-il en colère contre Bertier?
10. Qu'est-ce que Bertier suggère à Jean-Marc?
11. Pourquoi Sarah ne veut-elle pas que Jean-Marc participe à la cocarde?
12. Pourquoi Jean-Marc trouve-t-il qu'il ne peut plus reculer?
13. Comment Jean-Marc essaie-t-il de rassurer Sarah?
14. Décrivez la région qui entoure le mas.
15. Qui est Maréchal?
16. A votre avis, pourquoi Maréchal vient-il rendre visite à Bertier?
17. Que doivent faire les concurrents à la cocarde? S'ils ne réussissent pas, qui gagne?

18. Pourquoi Jean-Marc se lève-t-il tôt le jour de la cocarde?
19. Décrivez le départ pour le village.
20. Qu'est-ce qui se passe quand ils arrivent au village?
21. Que font les jeunes gens du pays? Pourquoi?
22. Que font les gens quand les taureaux s'échappent?
23. A quelle heure le jeu commence-t-il? Où a-t-il lieu?
24. Comment Jean-Marc sait-il que c'est son tour? Comment se sent-il?
25. Pourquoi est-il surpris lorsqu'il ouvre les yeux?
26. Que font les spectateurs?
27. Pourquoi les organisateurs de la fête hésitent-ils à faire courir un autre taureau? Qu'en dit Bertier?
28. Que décident finalement les organisateurs de la fête?
29. Que fait Jean-Marc quand il voit le taureau qui approche?
30. Comment les jeunes gens du pays manifestent° -ils leur enthousiasme?
31. Que dit Bertier pour féliciter Jean-Marc?
32. Une fois de retour au mas, de quoi Jean-Marc peut-il enfin parler?
33. A qui appartient le taureau?
34. Qui Jean-Marc soupçonne-t-il d'avoir drogué le taureau? Pourquoi?
35. Qui a drogué le taureau? Pour quelle raison?

LE GROUPE

Comme il fait beau ce matin! Le soleil n'est pas trop chaud et l'air est si pur qu'on a plaisir à respirer, simplement à respirer. Je suis assis à la terrasse de l'Hôtel du Lac à Genève▫, où je passe mes vacances d'été. De mon fauteuil, je vois les pentes° vertes des montagnes et le lac bleu, calme et propre comme toute la Suisse.

pente (f) : *slope*

Aujourd'hui quelque chose ne va pas à l'hôtel. Il y a une heure ou presque que j'ai demandé un café et des croissants[1] et on ne me les a pas encore apportés. D'habitude le service est impeccable▫ dans cet hôtel. C'est la première fois que cela arrive depuis deux semaines. Où est Charles? Je veux mon café au lait. Qu'est-ce qui se passe dans l'hôtel? Les gens entrent et sortent, vont et viennent avec des masses de valises et de sacs. Tout le monde court à droite et à gauche. Peut-être attend-on quelqu'un d'important? Un émir▫ d'Arabie Saoudite, un ministre, une délégation▫? Tant pis pour les gens importants, je veux mon café et mes croissants.

— Enfin, vous voilà, Charles! Je vous fait remarquer° qu'il y a une heure que j'attends mon café.

faire remarquer : *to point out*

— Ah, monsieur! Je regrette de vous avoir fait attendre si longtemps. Mais le groupe est arrivé pour sa réunion▫ annuelle.

— Le groupe? Quel groupe?

— Comment? Monsieur ne connaît pas l'histoire? Monsieur m'excusera de ne pas la lui raconter maintenant parce que je suis pressé. Monsieur les verra au déjeuner.

Encore trois heures à attendre avant le déjeuner et je n'ai rien à faire. Je reste sur la terrasse et essaie d'imaginer le groupe : probablement des gens impor-

[1] **Un croissant** is a crescent-shaped roll frequently served at breakfast.

tants comme des princes arabes ou des diplomates anglais ou des hommes d'affaires° américains.

A midi, en entrant dans le restaurant de l'hôtel, je remarque tout de suite qu'on a donné la plus belle table au groupe, la table près de la terrasse d'où la vue est magnifique. Il y a huit personnes autour de la table : un homme d'une quarantaine d'années, sérieux et austère▫, une jeune femme très jolie qui n'arrête pas de rire, une femme plus âgée aux magnifiques yeux noirs, un homme mélancolique et pâle, un jeune homme qui porte un pull-over trop grand pour lui, deux demoiselles qui se ressemblent énormément et un gros monsieur qui fume la pipe en silence. J'aimerais bien savoir ce que ces gens-là font ensemble.

homme (m) **d'affaires** (f) : *businessman*

Je n'apprends rien pendant le déjeuner; je ne peux pas entendre leur conversation car ma table est trop loin. L'après-midi, à l'heure du thé, qui est en réalité celle du café et des délicieuses pâtisseries° suisses, quatre autres personnes arrivent : un couple à l'air très respectable▫ et deux enfants assez agités, un garçon et une fille. Je suis de plus en plus curieux, mais Charles n'a pas le temps de répondre à mes questions. Tout ce que je sais, c'est qu' « on prépare, comme tous les ans depuis trois ans, le banquet▫ traditionnel ».

pâtisserie (f) : *pastry*

Ce soir il y a en effet un banquet avec champagne sur la terrasse. La table est couverte de fleurs. Le groupe vient de finir un copieux▫ repas qui de loin m'a semblé excellent. Ils attendent le dessert. Je n'en crois pas mes yeux : on leur apporte des tablettes de chocolat. Des tablettes de chocolat à un banquet! Tout cela m'intrigue▫ beaucoup.

J'ai pu enfin engager la conversation avec l'homme mélancolique qui se reposait sur la terrasse. J'ai appris qu'il s'appelle Pierre Geoffroy et qu'il est écrivain°. Après une demi-heure de conversation sur la pluie et le beau temps, je lui ai finalement demandé ce que les membres du groupe avaient en commun▫. Il m'a répondu qu'ils avaient passé des vacances mémorables▫

écrivain (m) : *writer*

ensemble et que si ça m'intéressait, il pouvait me montrer les notes qu'il avait prises pendant ce séjour. Il paraît qu'il prend toujours des notes. Il en tire quelquefois des idées pour ses romans.

Je suis confortablement installé dans mon lit et je commence à lire les notes de Pierre Geoffroy :

1er décembre

J'ai reçu ce matin une lettre de mon ami Paul Dulac que je n'ai pas vu depuis six ans. Il me dit qu'il a un petit hôtel dans la montagne; en réalité, ce n'est même pas un hôtel, c'est un chalet. Il va y habiter pendant la saison d'hiver avec sa femme Gertrude et ses deux enfants, Jacques (sept ans) et Colette (neuf ans). Il vient d'ouvrir le chalet, qui s'appelle Monplaisir, et il a déjà loué quelques chambres. Il m'invite à passer quelques jours au chalet (sans payer heureusement!). Je vais accepter : je n'ai rien à faire. Mon dernier livre est loin d'être un succès et quelques jours de vacances me changeront les idées.

3 décembre

Monplaisir est situé tout en haut de la montagne, assez loin de Genève. Les pentes de ski sont magnifiques, mais il est difficile d'arriver au chalet qui est très isolé□. Il n'y a pas de route, donc on ne peut pas y aller en voiture. Il faut prendre un petit train qui met des heures à faire un kilomètre. Le seul moyen de communication avec la ville est le téléphone. Si le téléphone est coupé°...

coupé : *cut*

Mais il fait beau. Les pentes sont couvertes d'une belle neige ferme□ et le soleil d'hiver brille comme un diamant□ dans le ciel bleu. La saison de ski sera superbe□.

Je suis arrivé le premier; il n'y a au chalet que Dulac, sa femme et les enfants. Dulac n'a pas changé. Il est toujours aussi bon garçon. C'est la première fois qu'il s'occupe d'un hôtel et on voit qu'il n'a pas beaucoup d'expérience. Il est trop généreux□ pour réussir dans les affaires. Il m'a déjà dit qu'il considérait les gens qui allaient venir comme des invités° plutôt que des clients. J'espère qu'il va tout de même les faire payer!

invité (m) : *guest*

Je n'ai pas à m'inquiéter pour la patronne. Gertrude est une vraie Suissesse. Elle aime le travail et l'argent et elle organise tout. Dulac n'a pas grand-chose à dire.

Je suis très content de ma chambre. La cuisine de Gertrude est excellente. Ces vacances vont vraiment me faire du bien!

4 décembre

Les clients, ou les « invités » comme les appelle Dulac, sont arrivés ce matin. Nous formons un drôle de groupe. Nous sommes huit en tout.

James Philips est un Anglais sec, austère et froid. Il a la plus belle chambre. Gertrude m'a dit que c'était un homme d'affaires important. Il a besoin de se reposer et veut passer des vacances calmes. Je ne sais pas si son docteur lui a conseillé d'oublier son travail, mais dès qu'il est arrivé, il s'est précipité sur le téléphone et a appelé Londres. Je comprends un peu l'anglais et je crois qu'il est très riche. Je suis sûr qu'il va être ennuyeux. Il ne parle pas beaucoup et lit toute la journée un journal financier.

Mlle Babette Poitiers est une jolie Française aux yeux verts et aux cheveux blonds. Elle parle sans arrêt. Elle m'a dit qu'elle faisait « un peu de cinéma » et qu'elle voulait revenir à Paris très bronzée. Elle a choisi ce chalet isolé pour échapper à ses admirateurs. Elle a déjà reçu une dizaine de coups de téléphone depuis son arrivée et elle n'a pas encore fait de ski. Elle doit avoir peur de se salir° dans la neige.

se salir : *to get dirty*

Giulietta Di Salavera est française aussi malgré son nom. Elle s'appelle en réalité Eugénie Duraton, mais comme elle est prima donna□ à l'Opéra de Paris, elle a pris un nom italien. C'est une femme imposante□ : grande, belle, un peu forte peut-être (il paraît que c'est nécessaire quand on chante les opéras de Wagner). Elle est venue ici pour se reposer avant une grande première□ à Paris. Il paraît que l'air pur est bon pour la voix. Heureusement elle n'a pas encore fait d'exercices de voix. J'espère bien qu'elle n'a pas l'intention d'en faire. Le docteur lui a défendu de faire du ski : elle pourrait attraper froid.

Gretel et Lotte Schmidt sont allemandes et jumelles°. Elles ont l'air sportives. Elles sont championnes de ski. Dommage qu'elles ne soient pas très jolies.

jumelle (f) : *twin*

Jean-Paul Voisin est peintre. Il n'a certainement pas d'argent. Je suis sûr que Dulac ne le fait pas payer. Il n'a rien apporté pour faire du ski, mais il a tous ses outils de travail. Dulac me dit que c'est un artiste qui a beaucoup d'avenir.

Piotr Duchenvsky est un mystère. Ce gros homme a un accent bizarre (tchèque?) et ne parle presque jamais. Dès qu'il est arrivé, il s'est enfermé dans sa chambre. Pas très sympathique.

Enfin, voilà notre petit groupe. On verra comment se passeront ces vacances. Je vais faire du ski.

5 décembre

J'ai passé la matinée sur la pente avec les jumelles. Des skieuses formidables! En rentrant à midi on avait très faim. Gertrude nous avait préparé un repas succulent□ : sardines comme hors-d'œuvre□, gigot et haricots verts°, fromages et pour le dessert, une de ces mousses au chocolat[2]! Dulac a annoncé de la neige. Gertrude a ajouté que cela ne durerait pas longtemps. C'est ennuyeux, on ne va pas pouvoir faire de ski.

haricot vert : *string bean*

Il a neigé tout l'après-midi et il a fait un vent terrible. Personne n'a pu sortir. Nous sommes restés dans le salon. Giulietta a dit que la tempête durerait au moins une semaine. Je lui ai fait remarquer qu'elle ne connaissait pas le climat suisse, qu'en montagne le temps

---

[2] **Une mousse au chocolat,** literally "chocolate foam," is a light, fluffy chocolate dessert.

changeait vite, et que dans une heure le soleil pourrait très bien percer▫ les nuages°. Elle m'a regardé avec pitié▫ et m'a répondu que j'avais l'air d'ignorer que les grands artistes avaient de l'intuition▫.

nuage (m) : *cloud*

6 décembre

Giulietta a l'air d'avoir raison. La neige a continué à tomber et le vent souffle de plus en plus fort. Pas moyen de sortir, — la neige bloque▫ la porte. Je joue au bridge avec Philips, la jolie Babette et le mystérieux Duchenvsky. Il n'a pas l'accent tchèque mais plutôt serbo-croate▫. Les jumelles sont furieuses : elles sont venues pour faire du ski et elles doivent rester au chalet toute la journée. Giulietta dans sa chambre chante le grand air de la Walkyrie. Voisin fait le portrait de Dulac. Ça ressemble à une automobile après un accident. Dulac ne dit rien et admire.

A midi, Gertrude a annoncé que le téléphone était coupé. Philips est devenu pâle. Il a jeté ses cartes sur la table et a crié qu'il fallait absolument qu'il appelle Londres. Impossible. Babette essaie de le calmer en lui disant que la tempête sera bientôt finie.

7 décembre

Il neige toujours. Giulietta a fait un scandale▫ au petit déjeuner parce qu'elle n'a pas pu gober° son œuf comme tous les matins. Encore une chose qui est bonne pour la voix, paraît-il. Dulac lui a expliqué avec beaucoup de patience qu'il n'y avait plus d'œufs. Le frigidaire ne marche pas non plus, — l'électricité est coupée. Giulietta a pleuré et a dit qu'elle allait perdre sa voix à cause d'une stupide▫ tempête. Lotte Schmidt s'est enervée et a dit qu'on ne venait pas en Suisse pour sa voix mais pour faire du ski. Giulietta lui a répondu qu'elle n'était qu'une petite bourgeoise stupide qui était incapable de comprendre les artistes. Il y a eu une belle scène▫. Duchenvsky a dit quelque chose dans une langue bizarre. Finalement Gertrude a annoncé

gober : *to suck*

que le déjeuner était prêt et tout le monde s'est calmé.

Le déjeuner n'a pas été aussi copieux que d'habitude. Nous suivons tous un régime° forcé. Heureusement qu'il fait froid, a dit Gertrude, comme ça on n'a pas besoin de frigidaire. Malheureusement il va faire encore plus froid; il ne reste pas beaucoup de bois.

régime (m) : *diet*

8 décembre

La tempête continue. Je joue encore au bridge avec les mêmes partenaires□. Philips est nerveux; il a peur que quelque chose se passe à Londres pendant son absence. Il répète constamment qu'on ne peut jamais avoir confiance en ses « partenaires » . Cet anglicisme□ est lourd de conséquences□ : Duchenvsky se vexe car il ne comprend pas que Philips veut parler de ses associés□ à Londres et non de ses partenaires au bridge. Il faut séparer les deux hommes et les calmer.

Les jumelles passent leur temps à marcher de long en large° comme deux soldats. Je ne peux plus les regarder, elles me donnent mal à la tête. Giulietta chante une aria□ de *Siegfried.*

de long en large : *up and down, back and forth*

La soirée est misérablement triste. Les enfants Dulac deviennent de plus en plus bruyants. Voisin continue le portrait; ça ressemble maintenant à une locomotive□ en feu. Je le lui dit. Il me répond que je ne comprends rien à l'art moderne.

9 décembre

Nous avons été réveillés ce matin par un cri terrible. La prima donna s'est aperçue que son collier d'émeraudes° avait disparu. Elle a fait une grande scène au petit déjeuner (une tasse de café, du pain et un peu de fromage). Le collier était un cadeau du prince Abdullah Effendi Al Hassaz qui l'avait beaucoup admirée dans *Siegfried.* Elle avait mis le collier sur la table de nuit avant de se coucher et, ce matin, plus de collier... Elle insiste qu'on appelle la police. Dulac très calme lui a fait remarquer qu'il est impossible d'appeler la police

collier (m) **d'émeraudes** (f) : *emerald necklace*

parce que le téléphone est coupé, et que même si le téléphone marchait, le police ne pourrait jamais arriver au chalet à cause de la tempête.

Gretel Schmidt a dit qu'il était stupide d'emporter un collier si précieux quand on allait à la montagne. Giulietta a fait une autre scène. Philips a décidé d'organiser les recherches°, dans les meilleures traditions de Scotland Yard. « Tout d'abord, a-t-il dit d'un air sombre, si le collier a été volé, il est encore ici et le voleur aussi. Personne ne peut entrer ni sortir, donc logiquement, le voleur est une personne de notre groupe. » Nous nous sommes tous regardés d'un air soupçonneux : Giulietta a regardé les jumelles qui ont regardé Duchenvsky qui a regardé Voisin qui m'a regardé.

recherche (f) : *search*

Au dîner, nous avons eu chacun un peu de pâté de foie gras en boîte, un verre de vin et une tablette de chocolat. La tempête continue. On n'a pas retrouvé le collier.

10 décembre

Ce matin, les sœurs Schmidt sont venues dans ma chambre pour me dire qu'elles connaissent le voleur. C'est Duchenvsky, disent-elles. Gretel m'assure que c'est un voleur professionnel□, qu'il n'a pas d'accent du tout quand il parle tout seul, et qu'il est en réalité français. Lotte dit au contraire que Duchenvsky n'est pas français, que c'est un espion roumain°, voleur aussi, car, c'est bien connu, tous les espions sont des voleurs et vice versa□. Et puis il ne fait jamais de ski et ne parle à personne.

espion roumain : *Rumanian spy*

Moi, je pense que c'est Voisin. Dulac me dit que c'est impossible parce que Voisin est un artiste! Il est toujours aussi naïf, Dulac! Je connais beaucoup de peintres. Mais Voisin n'en est pas un.

Au déjeuner, Giulietta est hystérique□. Non seulement on n'a toujours pas retrouvé son collier, mais la première à l'Opéra est dans trois jours. Si elle ne peut pas y être, on donnera le rôle à la Togliatta. Cette petite chanteuse insignifiante!□

L'atmosphère est tendue°. Tout le monde est exaspéré. Les jumelles veulent faire du ski et s'ennuient; Philips a peur de perdre de l'argent; Duchenvsky est furieux parce qu'il n'a plus de tabac pour sa pipe. Les Dulac sont inquiets parce qu'il n'y a presque plus rien à manger. Leur première saison est une catastrophe. Seuls les enfants s'amusent beaucoup; ils disent qu'ils jouent aux détectives□.

tendu : *tense*

Au dîner (du pâté, la dernière boîte, et deux tablettes de chocolat par personne), Giulietta, nerveuse, a accusé Babette d'avoir volé le collier. Babette, pâle, puis rouge, n'a rien dit. Philips l'a défendue□ avec beaucoup de véhémence□. Duchenvsky aussi. Il neige toujours.

J'ai surpris Voisin dans ma chambre. Il a eu l'air embarrassé et m'a dit qu'il cherchait des indices°. Il m'a assuré qu'il ne me soupçonnait pas.

indice (m) **:** *clue*

11 décembre

Nous mangeons du chocolat, c'est tout ce qui nous reste. Je sais bien que le chocolat suisse est le meilleur du monde, mais tout de même! Du chocolat au petit déjeuner, du chocolat au déjeuner, du chocolat au dîner! Giulietta pleure sans arrêt. Les jumelles, qui après tout sont de bonnes filles, ont eu pitié d'elle et lui ont dit qu'elle était une grande artiste. Ça a été une faute : la prima donna a chanté pendant trois heures après cela. Je vais devenir fou.

12 décembre

Neige, chocolat, neige, chocolat. J'ai faim et j'ai froid.

13 décembre

Et c'est un vendredi! Giulietta est superstitieuse et répète à qui veut l'entendre qu'un vendredi 13, ça porte malheur°. Duchenvsky me dit que le voleur est certainement Philips : « Lui, un homme d'affaires! Peuh! Vous êtes bien naïf, mon cher! Qui vous dit qu'il est anglais? Qui vous dit qu'il est riche? Pourquoi joue-t-il les Sherlock Holmes? »

porter malheur (m) **:** *to bring bad luck*

Ça y est! J'ai trouvé! Duchenvsky a un accent arménien□.

Le même soir

Après le dîner, (chocolat au lait) je suis allé dans la cuisine pour parler avec Gertrude. Elle m'a demandé de l'aider à faire le thé. Il n'y a plus d'eau au chalet. On fait fondre° de la neige. J'ai pris de la neige sur le bord de la fenêtre. En mettant la main dans la neige épaisse, j'ai senti un objet dur. C'était le collier. Quand on a annoncé la bonne nouvelle à Giulietta, elle a pleuré de joie. Tout le monde a été très étonné et personne ne comprenait comment le collier avait pu arriver là. Seuls Jacques et Colette s'amusaient comme des petits fous. Ils nous ont dit, tout fiers, que c'étaient eux qui avaient caché le collier sur le bord de la fenêtre. Ils trouvaient que tout le monde s'ennuyait et avait besoin de distractions°.

fondre : *to melt*

distraction (f) : *amusement*

Gertrude était furieuse. Giulietta a pardonné aux enfants; elle était tout heureuse de retrouver son collier! Il neige toujours et j'ai de plus en plus faim.

14 décembre

Nous nous sommes calmés depuis la découverte du collier. Mais quel ennui! Et cet éternel□ chocolat!

24 décembre

Nous sommes isolés depuis dix-huit jours. La tempête est terminée, mais le chalet est toujours bloqué. Le repas de réveillon[3] se limite à du chocolat et du thé très pâle. Voisin a fait un arbre de Noël avec du papier. Je dois reconnaître qu'il a du talent, après tout. Nous avons bu une bouteille de champagne que Gertrude avait gardée pour l'occasion et Giulietta a chanté de

---

[3] **Le réveillon** refers to the meal and festivities that normally follow midnight mass on Christmas Eve; there is also a **réveillon** on New Year's Eve.

magnifiques noëls en français, en italien et en allemand. Les sœurs Schmidt ont pleuré, moi aussi.

Il y a tout de même eu des cadeaux. Voisin a offert son portrait terminé à Dulac (ça ressemble finalement à un avion coupé en deux). Les jumelles m'ont donné un gros pull-over qu'elles avaient tricoté° elles-mêmes, et je leur ai donné un poème écrit spécialement pour elles : « Noël dans un chalet sous la neige ». Le plus beau cadeau a été donné par Philips à Babette (Tiens, Tiens!), une belle broche□ en or. « Elle était à ma mère », a dit l'Anglais, un peu rouge.

tricoter : *to knit*

Duchenvsky nous a tous beaucoup surpris en nous révélant sa véritable identité□ : c'est un producteur□ de cinéma américain qui prend toujours ses vacances incognito□. Il a offert un contrat à Babette. Giulietta était jalouse□ ; il lui a offert un contrat aussi, pour la consoler.

25 décembre

Cette journée de Noël a tristement commencé. Nous avons mangé la dernière tablette de chocolat. Il fait beau, mais comment sortir de cette neige?

Finalement, nous avons tous eu un beau cadeau. Un hélicoptère est venu nous chercher, et en quelques heures nous étions tous évacués□. Nous couchons à l'Hôtel du Lac, à Genève.

26 décembre

Un vrai petit déjeuner : du vrai café, de vrais croissants! J'en ai mangé une douzaine.

Nous avons eu de grandes surprises. Les associés de Philips lui ont téléphoné pour lui dire que tout marchait bien. Pendant son séjour forcé à Monplaisir, ils avaient fait de très bonnes affaires.

Puis Duchenvsky nous a dit qu'il voulait emmener Babette en Amérique pour faire un film et là, Philips nous a fait une surprise encore plus grande. Il a demandé la jolie Française en mariage et elle a accepté! Dulac était tout fier comme s'ils étaient ses enfants.

Giulietta a reçu un télégramme de Paris annonçant que la première avait été retardée° pour lui permettre de revenir et de chanter. La Togliatta était malade. Dulac et Gertrude ont dit qu'ils ne voulaient pas retourner au chalet. Philips leur a acheté un restaurant à Lausanne.

retarder : *to postpone*

Finalement nous étions tous tristes de nous séparer. Les sœurs Schmidt pleuraient et répétaient qu'elles venaient de passer les meilleures vacances de leur vie.

Duchenvsky (en réalité Peter Dahl) a eu alors une très bonne idée : le groupe allait se réunir tous les ans, en été, à l'Hôtel du Lac de Genève, pendant une semaine. C'est maintenant une tradition. Gertrude a ajouté une autre tradition : au grand banquet, il y a toujours des tablettes de chocolat.

NELLY MARANS

QUESTIONS

1. Où l'auteur passe-t-il ses vacances? Qu'est-ce qu'il voit de son fauteuil?
2. Qu'est-ce qui indique que quelque chose d'extraordinaire se passe à l'hôtel? Pourquoi l'auteur n'est-il pas content?
3. Qu'est-ce qu'il remarque au déjeuner? Combien y a-t-il de personnes dans le groupe au déjeuner?
4. Qui est-ce qui arrive à l'hôtel l'après-midi?
5. Qu'y a-t-il comme dessert au banquet?
6. Comment l'auteur apprend-il finalement l'histoire du groupe?

1er décembre

7. Qui est-ce qui a écrit à Pierre Geoffroy? Pour quelle raison?

3 décembre

8. Où se trouve le chalet? Comment y arrive-t-on?
9. Quelles sortes de gens sont les Dulac?

4 décembre

10. Décrivez les membres du groupe et expliquez pourquoi chacun d'eux est venu au chalet :
    a. James Philips
    b. Babette Poitiers
    c. Giulietta Di Salavera
    d. Gretel et Lotte Schmidt
    e. Jean-Paul Voisin
    f. Piotr Duchenvsky

5 décembre

11. De quoi se compose leur premier déjeuner au chalet?
12. Quel temps fait-il l'après-midi?
13. Quelles prévisions Giulietta fait-elle?

6 décembre

14. Pourquoi Geoffroy pense-t-il que Giulietta avait peut-être raison?
15. Comment les membres du groupe s'occupent-ils pendant l'après-midi?

7 décembre

16. Pourquoi Giulietta fait-elle une scène au petit déjeuner? Que lui dit Lotte Schmidt?
17. Pourquoi sont-ils complètement isolés du monde extérieur?

8 décembre

18. Pourquoi Duchenvsky se vexe-t-il? Qu'est-ce que Philips aurait dû dire au lieu de « partenaires »?
19. Que font les jumelles pour passer le temps?

9 décembre

20. Pourquoi Giulietta fait-elle une grande scène au petit déjeuner?
21. Qu'est-ce que Philips a décidé de faire? Quelles sont ses théories sur la question?
22. De quoi se compose le dîner?

10 décembre

23. D'après les sœurs Schmidt, qui a volé le collier? Comment expliquent-elles leurs conclusions?
24. D'après Geoffroy, qui est le voleur?
25. Pourquoi Giulietta fait-elle encore une scène au déjeuner?
26. Pourquoi l'atmosphère est-elle de plus en plus tendue?
27. Comment Voisin explique-t-il sa présence dans la chambre de Geoffroy?

11 décembre

28. Qu'est-ce qui reste à manger?

13 décembre

29. Qu'est-ce qui indique que Giulietta est superstitieuse?

Le même soir

30. Qui a retrouvé le collier? Comment?
31. Qui avait pris le collier? Pour quelle raison?

24 décembre

32. De quoi se compose le repas de réveillon? Comment passe-t-on la soirée?
33. Quels cadeaux reçoit-on?
34. Qui est le mystérieux Duchenvsky? Pourquoi n'a-t-il pas révélé sa véritable identité avant?

25 décembre

35. Où le groupe se trouve-t-il le soir? Comment y sont-ils arrivés?

26 décembre

36. Quelles nouvelles Philips a-t-il reçues? Et Giulietta?
37. Qu'est-ce que Duchenvsky a proposé à Babette? Et Philips?
38. Quelle idée Duchenvsky a-t-il eue? Qu'est-ce que Gertrude a suggéré?

LA PAIX°

paix (f) : *peace*

Depuis vingt ans, Matéo n'était jamais retourné en Corse[1]. Il avait été obligé de partir après ce qui s'était passé. Maintenant il y revenait pour la première fois. Après tant d'années, les gens avaient dû oublier. Pour la police il était officiellement innocent□. Et puis, qui reconnaîtrait le jeune rebelle□ d'autrefois dans cet homme de quarante ans habillé d'un complet gris clair impeccable?

Matéo, assis à la terrasse d'un café, regardait le bateau qui allait l'emmener à l'Ile-Rousse. Quelques passagers y montaient déjà, bien que le départ soit seulement dans une heure. Matéo se sentait heureux. L'air frais lui apportait les odeurs de la mer, de poisson frit et de bouillabaisse qui sortaient des restaurants du port. A Marseille, on mange à toute heure. Les marins ou les gens du port qui ont travaillé pendant la nuit demandent souvent une bouillabaisse ou un bifteck pour leur petit déjeuner. Matéo se sentait bien : l'accent du Midi et le charme du Vieux Port étaient comme un prélude□ à la Corse. A Paris, Matéo avait souvent eu le mal du pays°. Au début de son exil, il allait quelquefois à la gare de Lyon attendre l'arrivée des trains qui venaient du Midi et qui amènaient à Paris des Italiens du Sud, des Algériens□ bronzés, des Corses d'Ajaccio et de Calvi, attirés par le mirage□ du travail et de la fortune. Matéo lisait sur leurs visages ses ambitions□ d'autrefois et la mélancolie□ des exilés□.

avoir le mal du pays : *to be homesick*

Mais maintenant l'exil était fini pour Matéo; finie la solitude□, finie l'indifférence□ des grandes villes. Il rentrait au pays, pour toujours. Personne ne l'attendait

---

[1] **La Corse** (Corsica), an island in the Mediterranean Sea, is one of France's ninety-five administrative departments. **L'Ile-Rousse** is a port on the northern shore.

là-bas, excepté Napoléon, un garçon que sa mère avait engagé pour l'aider dans les dernières années de sa vie, et qu'il ne connaissait même pas. Mais Matéo était attaché à cette terre aride□ ; il savait qu'il ne pouvait pas être vraiment heureux ailleurs. Il avait passé les meilleurs moments de sa vie en Corse. Ses seuls vrais amis, pensait-il, étaient ses amis d'enfance. Ils avaient dû changer en vingt ans! Matéo avait presque peur de ne pas les reconnaître.

Oui, la Corse était son pays. Il avait attendu vingt ans le droit d'y vivre en paix. Maintenant que le dernier des fils Vanzetti était mort, il pouvait revenir. De la famille de Robert Vanzetti, il restait seulement la mère, une vieille femme de soixante-dix ans, peut-être plus.

La côte violette□ de la Corse apparaît maintenant dans la brume du soir. Des enfants jettent du pain aux oiseaux de mer qui accompagnent le bateau de leurs cris plaintifs□ et désagréables. Ces lamentations□ se mêlent aux° rires des enfants, aux cris des marins et au bruit des vagues contre le bateau. On approche de la côte. Déjà on aperçoit la foule multicolore□ qui s'agite sur le quai. Bien que l'Ile-Rousse soit un des ports importants de Corse, ce n'est qu'un petit village. L'arrivée du bateau deux fois par semaine est une grande attraction. Les gens du village viennent aussi pour essayer de louer des chambres aux touristes. Le nombre des touristes augmente chaque année. L'Ile-Rousse avec ses rochers rouges, ses cactus□, son port, et sa plage bordée de pins est très pittoresque — un bon endroit pour passer ses vacances.

se mêler à : *to mingle with*

Les machines se sont arrêtées. Les marins lancent les câbles et attachent le bateau au quai. Matéo suit la foule des passagers qui descendent à terre. Des groupes d'enfants les accueillent avec des cris de « Porteur?□ », « Vous cherchez une chambre à louer? », « Hôtel, Monsieur? ». Plus qu'un accueil, c'est une agression□, un siège°. Matéo a de la peine à se débarrasser d'eux. Il s'adresse à un homme d'un certain âge qui semble être du village :

— Pardon, vous ne connaîtriez pas un certain Napoléon?

— Napoléon? Eh! Qui ne connaît pas Napoléon! On voit bien que vous n'êtes pas d'ici! C'est le grand, là-bas, près de la charrette°, celui qui fume... Eh! Napoléon! Il y a quelqu'un qui te demande!

charrette (f) : *cart*

Napoléon arrive lentement, une cigarette éteinte à la bouche.

— Alors, c'est toi, Napoléon? Bonjour. Je suis Matéo. Matéo... le fils de la vieille Honorine.

— Ah... bonjour, patron... Content de vous voir.

Napoléon tient entre ses mains son béret et garde la bouche ouverte.

— Voilà les billets pour les malles. Tu les apporteras à la maison. Prends aussi ma valise. J'arriverai plus tard. Eh bien, qu'est-ce que tu attends? Allez, fais ce que je te dis.

— Oui, patron.

— Et alors, tu vas rester là jusqu'à ce soir? Allez, allez.

— Oui, patron. Et Napoléon se met à rire bêtement.

Quand on quitte le port et qu'on marche vers la plage, on arrive à une place avec des arbres et des cafés. C'est là le centre de la ville. Comme dans tous les villages méditerranéens, les gens se couchent tard. Assises dehors, devant la porte, les femmes bavardent ou simplement respirent l'air frais du soir. Les hommes, eux, vont au café jouer aux cartes ou parler politique. Matéo entre au *Café de la Paix* et s'avance vers le comptoir°.

comptoir (m) : *counter*

— Et pour Monsieur, ce sera...?

— Un demi[2].

---

[2] **Un demi** is a glass of draft beer.

Cela n'a pas beaucoup changé, excepté la télévision, là dans le coin, au-dessus du comptoir. Matéo observe les clients. Il essaie de mettre un nom sur les visages : « Celui-là, avec la moustache□, ce n'est pas Pierrot, le fils du charcutier, celui qui était toujours dernier en classe? » Matéo s'approche de la table où les hommes jouent aux cartes. Des visages se lèvent vers lui. Il tient son chapeau à la main, un peu embarrassé. Il se sent trop bien habillé et un peu ridicule avec son chapeau de ville. Mais l'un des hommes se lève :

— Matéo!... Pas possible! Alors, comme cela, te voilà! Laisse-moi te regarder... Mais dis donc, tu as l'air d'un monsieur... Ah ben, ça fait plaisir de te revoir.

Matéo rit :

— Ah, mon vieux Lucas, ça fait plaisir de te revoir aussi, vas... Eh, garçon! Un demi pour tout le monde! C'est moi qui offre...

Matéo est heureux. Il est enfin chez lui. Demain il ira à la pêche avec François, après-demain° il ira chez Lucas... Il ne lui manque rien : il a de l'argent, une bonne santé, il a retrouvé ses amis.

après-demain : *the day after tomorrow*

Les jours suivants Matéo est très occupé. Il descend au village faire des achats, il va voir d'anciens amis, il revoit les endroits qu'il aimait dans son enfance, il travaille dans le jardin, il répare le toit, il met un peu d'ordre dans la maison.

La maison de sa mère se trouve sur la colline. Autrefois le village s'étendait jusque-là. Mais il n'y avait pas d'eau; il fallait aller la chercher dans la vallée, à plus de deux kilomètres. Peu à peu le maquis° a gagné sur la civilisation et les arbres poussent maintenant dans les ruines des maisons abandonnées.

maquis (m) **:** *underbrush*

Matéo a des tas de projets : il lui faut trouver un système pour amener l'eau, acheter du terrain. Puis il fera bâtir des maisons bon marché qu'il louera aux touristes. L'idée lui semble excellente. Il lui faut des renseignements sur le prix des terrains. Il va aller sur la place : c'est dimanche, tous les hommes se retrouvent au café après la messe.

Quand Matéo arrive au village, les gens sont en train de sortir de l'église. Quelques hommes sont déjà installés à la terrasse du *Café de la Paix* à l'ombre des platanes°. A midi la chaleur est écrasante. Les plus malins sont sortis avant la fin de la messe pour prendre les meilleures places. Lucas est assis à une table avec plusieurs autres hommes. Matéo ne les connaît pas tous. On le présente. Il se met à parler du village, de ce qu'il faudrait faire, de modernisation▫, d'organisation. Les autres l'écoutent et font « oui » de la tête. « C'est un homme qui a de l'expérience... un homme qui a passé la moitié de sa vie à Paris... » pensent-ils. Tout à coup Matéo s'arrête au milieu d'une phrase, le regard fixé sur une silhouette sombre qui vient vers eux. Une petite vieille, enveloppée▫ dans un long châle▫ noir avance entre les tables, appuyée° sur sa canne. Matéo la regarde, fasciné par l'énergie▫ qui émane▫ de ce corps fragile. Il a l'impression que quelque chose de grave, de tragique▫ commence. La petite vieille continue son chemin malgré les tables qui la gênent, les clients qui la bousculent. Quelques pas encore... elle est devant Matéo.

platane (m) : *plane tree*

appuyé : *leaning*

Elle s'appuie à une table d'une main et indique Matéo avec sa canne :

— Vous n'avez donc pas de conscience?! Ça ne vous fait rien de boire avec un assassin▫ ? Osez dire que vous ne vous souvenez pas... Toi, tu ne te souviens pas de Robert étendu entre les buissons, un couteau dans le dos? Si tu étais un homme... Mais non, vous êtes tous là, en train de boire avec lui, parce qu'il est riche! Vous ne voyez donc pas que c'est un lâche°! Mais regardez-le, regardez-le donc! Vous voyez comme il est pâle; il meurt de peur!... Mais dis-le donc Matéo, que tu es un lâche!! Tu as attendu que mes fils soient tous morts pour revenir. Mais tu n'as pas pensé que je t'attendais... Matéo, fais attention... fais bien attention...

lâche (m or f) : *coward*

— Garçon, emmenez cette femme, elle est folle! crie Matéo.

Mais personne ne bouge. Tout le monde sait bien que la mère Vanzetti n'est pas folle. La vieille s'en va lentement, sans regarder personne.

A l'Ile-Rousse tout le monde parle de Matéo et de la vieille Vanzetti. Peu à peu on reconstruit l'histoire. Quelques-uns prennent le parti° de Matéo : il avait tué en légitime▫ défense — le tribunal▫ l'avait déclaré innocent. D'autres trouvent que la mère Vanzetti doit venger l'honneur de sa famille.

parti (m) : *side*

Quinze jours passent. Matéo ne descend que rarement au village. C'est Napoléon qui fait les courses.

— Napoléon! Ho! Qu'est-ce qu'il a, ton patron? On ne l'a pas vu depuis huit jours. Il est malade?

— Non, mais il n'est pas comme avant, il est bizarre.

Les gens voudraient bien en savoir plus, mais comment discuter avec Napoléon? Quand on lui parle, il rit bêtement et vous regarde avec un air stupide et heureux.

— Enfin, Napoléon, qu'est-ce qui se passe là-haut°?

là-haut : *up there*

Mais ce qui se passe là-haut, Napoléon ne peut pas le comprendre. Il y a seulement un homme qui a perdu la paix qu'il cherchait, un homme qui chaque jour vers cinq heures commence à avoir peur. Dans cinq minutes, dans dix, dans vingt peut-être, « elle » va apparaître au sommet de la colline, entre les buissons. Elle va appeler son chien, pousser ses moutons devant elle et descendre la côte, appuyée sur sa canne pour ne pas glisser sur les cailloux du chemin. Elle va s'arrêter, lever la tête et fixer son regard sur la maison. Puis, au bout d'un long moment, elle va reprendre son chemin. Et lui, derrière les volets°, il va la regarder jusqu'à ce qu'elle disparaisse...

volet (m) : *shutter*

« Elle me rend fou... il faut qu'elle s'arrête de me regarder... il faut que je me débarrasse d'elle... »

Juillet. La foule des touristes arrive. Le casino est ouvert toute la nuit. Matéo ne sort presque plus. Il paraît malade; ses vêtements sont devenus trop larges▫

pour lui; il respire avec difficulté. Il semble vouloir éviter les gens et souvent il ne répond pas quand on lui dit bonjour.

Août. Matéo ne sort plus de la maison. Il reste toute la journée derrière les volets. Parfois il prend son fusil° et le considère longuement. Puis il le remet à sa place et retourne près de la fenêtre. Napoléon lui apporte ses repas. Matéo ne lui donne plus d'ordres.

fusil (m) : *rifle*

Premier septembre. La chaleur est terrible. Le sirocco[3] souffle, pénètre▫ partout. Il brûle les yeux, le visage. Matéo s'appuie avec lassitude▫ contre la fenêtre. Sa gorge est sèche; il a beaucoup de peine à respirer. Il ferme les yeux. Il est fatigué, si fatigué... Tout à coup il se met à pleuvoir : une pluie violente▫ qui descend en ruisseaux dans les sentiers et emporte la terre de la colline. Puis un bruit terrible secoue la maison. La fenêtre s'ouvre et une rafale de pluie et de vent entre dans la pièce. En même temps une boule° de feu qui jette des gerbes d'étincelles traverse la pièce, puis disparaît; mais une lueur verte, phosphorescente▫, éclaire les murs quelques secondes encore. Dehors, là, au milieu du sentier, une silhouette noire rit, rit comme un démon▫. Matéo appelle Napoléon, mais Napoléon ne répond pas. Il est au village et Matéo est seul avec ce rire strident▫ qui continue dans sa tête:

boule (f) : *ball*

Tu es fou, Matéo, tu es fou! Le jour de la vengeance approche, Matéo...

Matéo prend son fusil et tire plusieurs fois sur° la silhouette, mais le rire continue... Matéo crie, — des milliers d'aiguilles entrent dans sa tête. Il titube, la chambre tourne autour de lui. Il s'appuie sur son fusil pour ne pas tomber. Sa tête est en feu. « J'ai de la fièvre... » pense-t-il. Un bruit, un éclair dans la nuit : sa main retombe... Matéo a tué la rire de la vieille Vanzetti. Enfin, la paix.

tirer sur : *to fire at*

---

[3] **Le sirocco** is a hot, dry, dust-filled wind which blows from the Sahara Desert.

Au village on a entendu du bruit, mais personne ne s'en est inquiété. Napoléon revient vers minuit. Il a beaucoup bu° et il parle tout seul. A une vingtaine de mètres de la maison, il tombe sur quelque chose qui est étendu au milieu du chemin.

il a beaucoup bu : *he's had a lot to drink*

— Qu'est-ce que c'est que ça?

Il frotte une allumette. Une forme noire est étendue au milieu du sentier. Napoléon la pousse du pied sur le bord du chemin.

— Oh, le pauvre chien... On dirait bien le chien de la mère Vanzetti... Mais Napoléon n'est pas sûr; ses idées sont un peu confuses□ ce soir. On peut voir des traces rouges sur les cailloux.

— Le pauvre chien... le pauvre chien... je ne peux pas le laisser là... la pauvre bête... Napoléon regarde vers la maison de son patron. Pas de lumière. Cela est bizarre, pense-t-il, mais il ne s'inquiète pas longtemps; la vie a toujours été trop difficile à comprendre...

Arrivé à la maison, il ouvre la porte, allume, entre dans la grande pièce où le patron passe ses journées. Il pousse un cri : Matéo est par terre, son fusil près de lui. Il y a dans la pièce une étrange odeur de brûlé. Napoléon regarde plusieurs minutes sans comprendre puis part en courant.

Suicide? Accident? On n'a jamais su exactement ce qui s'était passé. La même nuit on a trouvé la mère Vanzetti morte chez elle : Napoléon, qui lui ramenait son chien, l'a trouvée étendue sur son lit. Elle avait dans la main une petite poupée° qui représentait un homme. Dans la tête de la poupée, il y avait de longues aiguilles, l'une qui la traversait d'une oreille à l'autre. Chose étrange, il y avait chez la mère Vanzetti la même odeur de brûlé que chez Matéo. Au mur, la photo de Robert Vanzetti semblait regarder la petite poupée avec ironie□ ...

poupée (f) : *doll*

NICOLE MARCHAND

QUESTIONS

1. Depuis combien de temps Matéo n'est-il pas retourné en Corse?
2. Où attend-il le départ du bateau qui va l'emmener à l'Ile-Rousse?
3. Quelles sont les odeurs du Vieux Port de Marseille? Pourquoi Matéo se sent-il bien?
4. Pourquoi Matéo allait-il souvent à la Gare de Lyon quand il vivait à Paris?
5. Qui l'attend à l'Ile-Rousse?
6. Quels bruits entend-on sur le bateau? Qu'est-ce qu'on voit lorsque le bateau approche de la côte?
7. Pourquoi les gens de l'Ile-Rousse viennent-ils au port?
8. Décrivez l'Ile-Rousse.
9. Qui est-ce qui accueille Matéo et les autres passagers lorsqu'ils descendent du bateau?
10. Qui est Napoléon? Comment Matéo réussit-il à le trouver?
11. Décrivez la place du village.
12. Pourquoi Matéo va-t-il au café?
13. Pourquoi se sent-il un peu ridicule lorsqu'il s'approche de la table où les hommes jouent aux cartes? Qui est-ce qui le reconnaît?
14. Que fait Matéo les jours suivants?
15. Où se trouve la maison de Matéo? Pourquoi est-elle isolée?
16. Quels sont les projets de Matéo?
17. Pourquoi va-t-il au *Café de la Paix* le dimanche suivant?
18. Où les hommes sont-ils assis? Où se trouvent les meilleures places?
19. Pourquoi les hommes du village écoutent-ils Matéo avec respect?
20. Pourquoi Matéo s'arrête-t-il de parler?
21. De quoi la vieille femme accuse-t-elle Matéo?
22. Que fait Matéo? Pourquoi est-ce que personne ne bouge?

23. Quelle est la réaction des gens du village à cet incident?
24. Pourquoi, quelques semaines plus tard, les gens du village commencent-ils à poser des questions à Napoléon? Qu'est-ce qu'il leur répond?
25. Que fait Matéo tous les jours vers cinq heures? Que se dit-il?
26. Qu'est-ce qui indique que Matéo a changé?
27. Où est-ce que Matéo passe les longues journées d'août? Que fait-il?
28. Pourquoi fait-il si chaud le premier septembre?
29. Comment Matéo se sent-il?
30. Qu'est-ce qui se passe tout à coup?
31. Qu'est-ce que Matéo croit entendre dehors?
32. Pourquoi prend-il son fusil?
33. Comment Matéo trouve-t-il enfin la paix?
34. Sur quoi Napoléon tombe-t-il lorsqu'il revient du village? Pourquoi est-ce que ses idées sont un peu plus confuses que d'habitude?
35. Qu'est-ce que Napoléon trouve en entrant dans la maison de son patron?
36. Quelle odeur y a-t-il dans la pièce?
37. Pourquoi Napoléon est-il allé chez la vieille Vanzetti?
38. Comment était-elle quand il l'a trouvée? Qu'est-ce qu'elle tenait dans la main?
39. Qu'est-ce qu'il y avait au mur?
40. A votre avis, comment Matéo est-il mort?

WEEK-END SUR LA CÔTE

— Allô, Tonio? Tu es prêt pour un petit voyage?

— C'est pour où aujourd'hui, Marcel?

— Aujourd'hui, Tonio, c'est une grosse affaire°... Après ça on va pouvoir se reposer.

affaire (f) : *job, deal*

Tonio est un grand garçon aux cheveux noirs, au visage éclairé d'un bon sourire. Il est beau, sympathique, sociable▫. Il est très important pour Marcel d'avoir un collaborateur▫ qui inspire confiance. Car Marcel ne gagne pas sa vie comme tout le monde : il ne prend pas le métro chaque matin pour aller au bureau où il est entouré de collègues qui le connaissent bien. Non, il va à ses affaires un jour en avion, un jour en auto, d'autres fois à pied... le plus souvent de nuit : il est gangster — un professionnel bien sûr, discret▫, ingénieux▫, sérieux surtout.

Depuis longtemps il pense au grand coup° qui lui apportera la fortune et la gloire. Cette fois-ci il va peut-être réaliser l'ambition de sa vie. Il a choisi comme terrain d'action cette côte qui s'étend de Marseille à Menton, où des sommes d'argent fantastiques changent si facilement de mains. Mais les risques seront assez grands parce que même au printemps il y aura beaucoup de monde.

grand coup : *masterstroke*

— Un week-end sur la Côte... ça te plaît, petit? Le printemps, c'est la bonne saison, la saison des gens élégants.

— Peut-être, mais ce n'est pas la saison des jolies filles.

— Allons donc, les belles filles, il y en a toujours et on peut te faire confiance pour les trouver. Et puis on sera sur la Côte pour affaires; comme disent les Anglais « business is business ». Il faut du sérieux dans l'existence▫.

— Ce sera quoi, cette fois-ci?

— Ah, Tonio, il faut faire confiance à ton vieux

Marcel. Je ne peux rien te dire pour le moment, mais crois-moi, tu n'auras rien à regretter. Rendez-vous dans une heure; il est 9 h. 05, je te retrouve à 10 h. précises devant le garage. On prend la Jaguar. Allez, à tout à l'heure.

Plusieurs heures plus tard, Marcel et Tonio roulent à grande vitesse sur la Nationale 7. Marcel a décidé qu'ils passeraient la nuit à Aix pour être en pleine forme° sur le lieu de travail le lendemain. Les 700 kilomètres qui séparent Paris d'Aix représentent une bonne étape, même avec la grosse voiture de Marcel. Ils écoutent la radio. Marcel regarde le paysage. Le mistral[1] balaie la vallée du Rhône. Les nuages passent vite dans un ciel d'un bleu dur. Pour Tonio, l'aventure dans laquelle il se précipite est aussi incertaine□ que la course□ des nuages.

en pleine forme : *in topnotch shape*

A Aix Marcel emmène Tonio dans un restaurant de grand luxe : repas élaboré□, service impeccable; la salle est même climatisée°.

climatisé : *air-conditioned*

— Il faut te coucher tôt, petit, car demain tu travailles.

— Mais à quoi? Enfin, tu pourrais quand même m'expliquer.

— Non, non, tu verras demain.

Tonio dort mal. L'hôtel est bruyant au bord de la route de Marseille où les camions circulent toute la nuit. Tonio ne peut pas s'empêcher de penser à ce que Marcel est en train de préparer; il sait qu'il ne parle jamais beaucoup, mais c'est la première fois qu'il est aussi mystérieux. Mais Tonio ne s'inquiète jamais très longtemps. On verra bien demain!

Le lendemain, vers midi, ils arrivent à Cannes. L'arrivée sur la ville est magnifique. La route descend vers le Boulevard Carnot. On aperçoit la baie□ de Cannes,

---

[1] **Le mistral** is an extremely strong, cold, dry wind which blows into the south of France from the north.

les îles de Lérins, sombres sur la mer qui étincelle au soleil.

— Tiens, la marine américaine est dans le port, remarque Marcel. Ça ne va pas nous faciliter le travail, il y aura plus de flics° que d'habitude. Tant pis, on se débrouillera.

flic (m) : *cop*

Marcel laisse Tonio devant un hôtel et lui dit qu'il va prendre une chambre ailleurs.

Une heure plus tard, Marcel est dans la chambre de Tonio. Il lui a apporté un gros pull-over, un blue-jeans et une boîte à outils.

— Mets ça, dit Marcel. On part immédiatement.

En deux minutes Tonio est prêt.

— Bon, maintenant, regarde par la fenêtre. Tu vois ce camion « Entreprise de Climatisation. — 21 rue Caffarelli — Nice (A.M.)[2] ». Toi, tu travailles pour cette entreprise comme spécialiste de la climatisation. On a commencé il y a quelques jours une installation▫ à la Pharmacie▫ de la Croisette. C'est là que nous allons. Les appareils sont déjà en place. Il s'agit maintenant de monter la prise d'air°. Et cette prise d'air, il faut que tu la fasses communiquer avec celle du voisin. Pas de danger que le vrai spécialiste vienne nous déranger; il est à Menton où il s'occupe d'un travail urgent▫ que je lui ai procuré.

monter la prise d'air : *to install the air intake*

— Non, mais Marcel, tu es fou!

— Écoute une seconde, le voisin a un nom qui va te donner du goût au travail. Il s'appelle Van Cleeven.

— Van Cleeven! Le bijoutier!?

— C'est ça. Tu vas nous préparer une entrée discrète chez Van Cleeven : leur prise d'air se trouve dans la cour de la Pharmacie, il s'agit de faire la jonction▫. Tu as une journée et demie pour préparer notre entrée. Moi de mon côté, je vais examiner la boutique. J'ai rendez-vous avec une de mes amies au Carlton. Je vais

---

[2] **A.M.** refers to **Alpes Maritimes,** the department in which Nice is located.

lui jouer les Roméo, mais comme à mon âge ce rôle-là ne se joue pas sans accessoires°, je vais l'emmener chez Van Cleeven pour choisir un petit cadeau. C'est une jeune personne qui n'arrive jamais à se décider et je suis sûr qu'elle demandera à voir tous les bijoux de la boutique avant de choisir. Cela me laissera le temps d'étudier la situation. Mais écoute-moi bien, le soir du grand jour, on ne ramasse pas de petits souvenirs pour nos belles amies. On va droit au coffre-fort° qui contiendra 250 millions d'anciens francs destinés° à l'agent d'une grosse compagnie de Johannesburg, qui, pour des raisons qui lui sont personnelles, ne veut pas accepter de chèque°. C'est du « fifty-fifty », 125 millions chacun.

coffre-fort (m) : *safe*

Tonio, qui ne s'est jamais senti beaucoup de goût pour le travail, n'est pas très enthousiaste. Mais maintenant qu'il est à Cannes, il lui serait difficile de repartir, et, après tout, 125 millions, ça vaut bien la peine° de faire un petit effort.

peine (f) : *trouble*

— Ça va. On fera ce qu'on pourra. Allons-y, dit-il en prenant la boîte à outils.

Dans le camion Marcel et Tonio discutent quelques détails de l'opération.

— Tourne à gauche, dit Marcel, c'est tout de suite après la boulangerie.

— Je mangerais bien quelque chose avant de me mettre au travail.

— Écoute, Tonio, on n'a pas une minute à perdre. Tu as beaucoup à faire en une journée et demie. Je vais aller te chercher un sandwich que tu pourras manger en travaillant.

— Tu tiens vraiment à me faire gagner mes billets°!

billet (m) : *money (banknote)*

Les deux hommes entrent dans la pharmacie.

— Bonjour, M'sieurs Dames[3]. On peut parler au patron?

---

[3] **M'sieurs Dames,** short for **Messieurs et Mesdames,** is a colloquial greeting frequently used when entering or leaving a store.

— Bonjour, Messieurs, vous désirez? répond un petit homme habillé de blanc.

— Monsieur, c'est l'entreprise de climatisation qui nous envoie, le jeune homme et moi, pour finir les travaux. Vous avez de la chance : ce petit-là, c'est le champion de la climatisation. Il n'y en a pas deux comme lui! Vous pouvez lui faire confiance : vous aurez le magasin le plus froid de la Croisette, un vrai frigidaire... et vous verrez, c'est ça qui plaît à la clientèle.

— J'espère bien. Par ici°, Messieurs, et n'hésitez pas à demander si vous avez besoin de quelque chose.

par ici : *this way*

— D'accord et merci.

Tonio et Marcel traversent le magasin et sortent dans la cour où doit être installée la prise d'air. Marcel montre à Tonio la prise d'air de chez Van Cleeven. Tonio voit ce qu'il a à faire : il monte sur le toit et se met immédiatement au travail, après avoir rappelé à Marcel de ne pas oublier son sandwich. Tonio sait travailler quand il le faut. Marcel peut avoir confiance en lui. Il est plus sérieux qu'il n'en a l'air, ce petit.

L'après-midi, Tonio travaille dur et tout marche bien. Personne ne vient le déranger. Le soir, il est si fatigué qu'il s'endort tout de suite sans même avoir l'idée d'aller passer la soirée au Casino. Pourtant Cannes est pleine de vie : les marins américains sont à terre et envahissent° tous les bars de la ville. Dans les rues la foule des promeneurs profite de la douceur de cette soirée de printemps.

envahir : *to invade*

Le lendemain matin Tonio repart au travail de bonne heure. Le pharmacien est content de son zèle□ ; il vient bavarder avec lui. Tonio lui explique qu'il est italien et que sa fiancée□ attend qu'il ait gagné de quoi acheter une petite épicerie pour l'épouser. C'est pourquoi il travaille aussi dur.

— Et vous pensez que vous aurez fini ce soir?

— On va essayer, mais il y a encore pas mal de travail; je ne peux rien promettre.

— Ça m'arrangerait bien°. Ce n'est pas qu'on ait besoin de la climatisation, mais je ne me sens pas tranquille avec cette prise d'air ouverte pendant la nuit. Il y a tellement de gangsters dans la région.

ça m'arrangerait bien : *I'd really appreciate it*

— Ah, vous avez bien raison, mon bon Monsieur. C'en est plein partout. On ne peut faire confiance à personne. Tenez, si ça ne vous dérange pas que je reste après six heures, je pourrai peut-être finir avant minuit.

— Ça me rendrait bien service. Je vais vous laisser la clef. Quand vous aurez fini, fermez la porte derrière vous et rapportez°-moi la clef chez moi, 34 rue du Canada; glissez-la dans la boîte à lettres.

rapporter : *to return*

Et voilà! Marcel n'aura même pas à forcer la porte; c'est moi qui la lui ouvrirai, pense Tonio.

Pendant ce temps, Marcel, qui a mis son complet le plus élégant, va rejoindre son amie Ginette à son hôtel sur la Croisette. Ils font un excellent déjeuner, puis Marcel emmène Ginette chez Van Cleeven. Ginette est admirable□. Elle hésite, se décide, puis demande à voir autre chose et tout recommence. Pendant ce temps, Marcel prend mentalement note de l'arrangement□ intérieur du magasin.

Vers neuf heures, Tonio a fini son travail. Il a installé la prise d'air de la pharmacie tout contre celle de chez Van Cleeven. Dans le côté commun aux deux prises d'air il a percé un trou, invisible de l'extérieur, qui les fait communiquer. A l'intérieur de la pharmacie, l'installation paraît terminée. Pourtant Tonio a laissé une échelle° contre le mur près de l'appareil de climatisation.

échelle (f) **:** *ladder*

Une demi-heure plus tard, Tonio remonte à toute vitesse les quatre étages qui mènent à sa chambre. Il ouvre la porte, et, à sa grande surprise, il trouve Marcel confortablement assis dans son fauteuil et lisant un journal.

— Comment es-tu entré? s'exclame Tonio, qui tient à la main la clef de sa chambre.

— Là, tu me vexes! Tu me connais assez pour savoir

que je n'ai pas besoin de clef, moi! Je peux ouvrir n'importe quoi°.

— Eh bien, pour une fois tu ouvriras une porte avec une clef. Regarde, je t'apporte celle de la pharmacie.

— Tu es formidable, mon vieux Tonio. Et notre installation, elle est terminée?

— Bien sûr.

— Alors, maintenant, écoute bien et regarde la carte des lieux avec moi.

Marcel et Tonio étudient minutieusement le plan du magasin que Marcel a dessiné, puis ils descendent manger un steak-pommes frites dans le quartier. A minuit et demie, ils sont prêts. Tonio entre le premier dans la pharmacie. Tout semble calme. Marcel entre ensuite et ferme la porte derrière eux. En silence, ils traversent le magasin. Tonio monte à l'échelle, détache▫ une section de la conduite° et se glisse à l'intérieur. Marcel l'entend qui progresse▫ lentement dans le tunnel de métal, puis le bruit s'arrête et la voix de Tonio arrive, déformée▫ par une succession d'échos :

— Eh, Marcel! j'ai oublié mes cigarettes. Passe-moi une Royale. Ce n'est pas que j'aime les filtres▫, mais pour une fois, ça va.

— Ne fais pas l'idiot, on n'a pas le temps. Tu es arrivé à la jonction?

— Oui, j'y suis, tu peux venir, mais vas-y doucement. N'oublie pas que tu n'es pas aussi jeune et svelte▫ que moi. J'ai fait de mon mieux pour faire tenir° cette conduite, mais je ne garantie▫ rien. Tu pourrais te retrouver par terre avant d'arriver chez Van Cleeven.

— Ça va, ça va, ne parle pas tant. Tu ferais mieux de m'éclairer un peu avec ta lampe de poche. Je ne connais pas la région, moi, je pourrais me perdre, — et qu'est-ce que tu ferais sans moi... Eh, Tonio, attends-moi, où es-tu?

— Je viens de passer la jonction. Je suis dans la conduite de chez Van Cleeven.

n'importe quoi : *anything, no matter what*

conduite (f) **:** *shaft*

tenir : *to hold together*

Tonio est arrivé à un coude° de la conduite. Si le plan de Marcel est exact□, s'ils ne se sont pas trompés dans leurs calculs, il doit être à l'intérieur de la bijouterie à l'endroit où ils devraient sortir. Avec d'infinies□ précautions il sort un à un ses outils de sa poche et, en évitant le plus petit choc pour ne pas mettre en marche le système d'alarme, il commence à détacher une section de la conduite.

coude (m) : *bend, elbow*

Un quart d'heure plus tard Marcel rejoint Tonio devant le coffre-fort. Tonio considère qu'il a terminé son travail; il s'est assis nonchalamment sur le bord d'une table couverte de magazines et allume une cigarette tout en feuilletant le dernier *Ciné-Revue*. Marcel, lui, se met au travail. Il met une paire de gants blancs, puis sort de sa poche un stéthoscope□ dont il applique□ l'extrémité□ contre le coffre-fort. Les mains couvertes de ses gants d'un blanc immaculé□, le stéthoscope aux oreilles, il manipule□ silencieusement les boutons° du coffre-fort.

bouton (m) : *knob*

— Eh, dis donc, Marcel, tu as vu ça? Brigitte vient de se remarier.

— Imbécile!

— Mais si, je t'assure. Tiens, regarde, c'est dans *Ciné-Revue* : « Pendant que la foule enthousiaste de Strasbourg acclamait le Président de la République, la gloire du cinéma français épousait dans la plus modeste□ des églises de Colombey-les-Deux-Églises[4] et dans une robe de chez Dior d'une extrême□ simplicité□, monsieur... »

— Tu vas te taire, triple□ idiot! Ça y était presque. Il faut que je recommence tout maintenant!

— Bon, bon, je me tais. Je croyais que ça t'intéresserait. Ce n'est pas tous les jours que Brigitte se remarie. Il y a au moins trois mois que ça ne lui était

---

[4] **Colombey-les-Deux-Églises** is a small village where Charles de Gaulle has his private home.

pas arrivé. Je pensais te rendre service. Il me semble qu'un homme du monde comme toi devrait se tenir au courant° de ce qui se passe. Mais c'est toujours comme ça, je passe mon temps à essayer de rendre service aux amis, et personne n'apprécie▫ mes efforts.

se tenir au courant : *to keep up to date*

— Écoute, tu me rendrais le plus grand service si tu te taisais et si tu voulais bien arrêter de faire trembler ta jambe et de tourner les pages de ce journal. J'ai besoin de silence!!

— Ça va, ça va, j'ai compris.

Patiemment Marcel se remet au travail. Il tourne un bouton, puis l'autre. Tonio écoute les clics▫ qui se succèdent tous semblables° les uns aux autres. Il pense à demander à Marcel s'il ne trouve pas que la jeune femme qui était à la table à côté d'eux au restaurant à Aix ressemblait un peu à Sophia Loren, mais il a peur que Marcel ne se mette encore en colère pour rien, et il essaie de penser à autre chose. Pour passer le temps il regarde les gants blancs de Marcel qui jouent avec les boutons du coffre-fort. Ils ont l'air de deux papillons° qui dansent entre deux grosses fleurs rondes▫. Ça lui rappelle une chanson des Frères Jacques[5], mais il ne le dit pas à Marcel parce qu'il sait que Marcel n'aime pas les Frères Jacques et qu'il se mettrait encore en colère. Tonio trouve le temps bien long et il se demande pourquoi il est venu là. Marcel est bien gentil mais il manque vraiment de conversation.

semblable : *similar*

papillon (m) **:** *butterfly*

Tout à coup les gants blancs s'immobilisent▫ et sans un bruit la lourde porte s'ouvre lentement comme par magie▫. Marcel reste maître° de lui : son visage ne montre aucune émotion. Il a tout prévu. Tout se passe selon ses plans. Rien ne peut l'étonner. C'est ce qu'il y a d'extraordinaire chez Marcel : en toutes circonstances il reste maître de la situation. Marcel sort de sa poche deux petits sacs en nylon▫, puis, lentement, avec des

maître (m) **:** *master*

[5] **Les Frères Jacques** is a group of singers who usually perform in top hats, black leotards, and white gloves.

gestes sûrs et précis, il sort du coffre les piles▫ de billets et les met dans les sacs. 50.000... 100.000... 150.000... 250.000... voilà, le compte y est°. Les sacs sont pleins et le coffre est vide. Il remet son stéthoscope dans sa poche, place un des sacs sous sa chemise, donne l'autre à Tonio et les deux hommes repartent par où ils sont arrivés sans prendre la peine de remettre en place les sections de conduite qu'ils avaient détachées. Il faut bien laisser quelque chose à faire à l'Entreprise de Climatisation!

le compte y est : *it's all there*

— Par ici, j'ai laissé la voiture à la gare, dit Marcel en sortant de la pharmacie. On va passer par la rue Pasteur et la rue d'Antibes. Ce sera tranquille à cette heure-ci.

En effet, ils marchent pendant dix minutes sans rencontrer personne. Malheureusement, juste au moment où ils passent devant un petit bar, la porte s'ouvre et ils se trouvent pris au milieu d'un groupe de marins américains très excités qui crient et lancent des coups de poing de tous les côtés. Tonio en reçoit un dans l'estomac. Bien qu'il n'ait pas eu grand mal, grâce à° la protection▫ de son sac de billets, la colère le prend, et sans chercher à savoir qui lui a donné le coup il se jette sur le premier marin qu'il peut attraper.

grâce à : *thanks to*

— Doucement, doucement, Tonio. Ce n'est pas le moment de créer▫ un incident diplomatique▫. Allons, mon vieux, viens par là.

Marcel, suivi de Tonio, part au galop▫ pendant que les marins continuent à se donner des coups de poing sur le trottoir sans se préoccuper d'eux. On entend une femme qui crie, puis un grand bruit de verre cassé.

— Ça va mal, Tonio. Dépêchons-nous de sortir d'ici. Ces imbéciles vont attirer toute la police de Cannes. Cours, mon vieux, cours.

Trop tard! Au coin de la rue ils se trouvent nez à nez avec deux agents de police.

— Hep! là, vous, vous deux, où allez-vous comme ça? On est pressés, les amis. Allons, venez vous reposer un peu au commissariat de police°. Ça vous calmera.

Tonio veut essayer de discuter, mais Marcel l'interrompt.

— Laisse tomber, vieux.

Juste à ce moment un homme arrive de la rue du Canada et s'approche.

— Eh, mais c'est vous. Il me semblait bien que je reconnaissais votre voix.

C'est le pharmacien de la Croisette qui a reconnu Tonio.

— Vous connaissez cet individu? demande un des agents.

— Mais oui, bien sûr. Ce jeune homme travaille pour moi. C'est un champion...

— Un champion de course à pied qui fait son entraînement° dans la rue d'Antibes? demande l'agent de police.

— Non, Monsieur l'agent, il fait des installations de climatisation. Je voulais dire que pour ça il est champion. Vous avez fini mon installation? demande-t-il en se tournant vers Tonio.

— Oui, Monsieur, je viens juste de finir et on venait vous rapporter la clef. Je m'excuse, mais je n'ai pas pu finir avant minuit et demie et comme on vous avait promis la clef pour minuit et demie, on s'est dit, « Tiens, on va courir un peu pour lui rapporter la clef à ce bon monsieur, pour ne pas le faire attendre ». Parce que nous, quand on a promis quelque chose, vous voyez... Tiens, mais où est-ce que je l'ai mise, cette clef? Dis donc, Marcel, ce n'est pas toi qui l'as?

— Moi? Qu'est-ce que tu veux que je fasse d'une clef? Ah, mais si, tiens, la voilà! J'avais oublié que c'est moi qui suis sorti le dernier et qui ai fermé la porte. Tenez, Monsieur. On a été obligé de faire un peu vite, mais j'espère que vous serez content du travail parce que vous savez, mon ami là, pour les prises d'air, on ne peut pas trouver mieux. C'est le champion de la climatisation.

— Bon, bon, ça va, dit l'agent. On le sait. Vous pour-

commissariat (m) **de police** (f) : *police station*

entraînement (m) : *training*

riez venir nous installer la climatisation au commissariat. Il y a des jours, en été, où il fait tellement chaud que le téléphone fond sur le bureau°. L'été dernier on a dû le remplacer trois fois, et encore, si vous vous rappelez, on peut dire que l'été a été plutôt frais.

bureau (m) : *desk*

— D'accord, on vous fera ça, mais pas ce soir. Il est éreinté, ce petit, il faut que j'aille le mettre au lit. Allons, bonsoir Messieurs, à un de ces jours.

Marcel et Tonio serrent la main au pharmacien, font un salut▫ militaire aux deux agents et s'éloignent° en faisant très attention de ne pas avoir l'air trop pressés.

s'éloigner : *to walk away*

Une demi-heure plus tard, ils roulent sur la route de Grasse à la recherche d'un coin tranquille où ils pourront faire semblant de changer un pneu sans trop attirer l'attention. Marcel arrête la Jaguar dans un petit chemin entre deux hautes haies.

— Viens, Tonio. Je crois que nous avons crevé à l'arrière.

— On a crevé? Tu es sûr? Je n'ai rien remarqué.

— Allons, ne fais pas l'idiot et viens voir mon pare-chocs° arrière.

pare-chocs (m) : *bumper*

— Eh bien, qu'est-ce qu'il a, ton pare-chocs arrière?

— Tu en as vu beaucoup comme ça?

— Je ne sais pas, je n'ai jamais remarqué.

— Mon vieux Tonio, si tu t'intéressais un peu à l'industrie automobile anglaise, tu saurais que ce n'est pas un pare-chocs standard▫ pour la Jaguar. C'est un pare-chocs spécial, mon vieux, modèle M 43-2B. Ce n'est pas un modèle très courant▫ et il coûte presque deux fois plus cher que le modèle standard, mais il présente des avantages▫ considérables. D'abord, il est beaucoup plus volumineux▫ que le pare-chocs standard. En effet, sa capacité▫ intérieure permet d'y loger▫ sans difficulté une somme de 250.000 francs en billets de la Banque de France. Ensuite, celui-ci a été modifié pour que l'on puisse y déposer autant de billets sans que rien n'y paraisse. Regarde, tu pousses ce bouton▫ et le compartiment▫ secret▫ s'ouvre. Voilà. Passe-moi ton sac. Tu vois, il y a exactement la place pour les deux sacs. Maintenant tu pousses le bouton de nouveau° et le compartiment se referme. Ni vu, ni connu.

de nouveau : *again*

— C'est très bien, tout ça,... mais je crois que je préférerais qu'on partage...

— Mais bien sûr, dès qu'on est à Paris...

— Non, je veux dire tout de suite. Ce n'est pas la peine de se compliquer la vie pour rien.

— Non, mais tu n'es pas un peu malade? Alors comme ça tu veux aller te promener sur la Croisette avec tes billets quand toute la police de la Côte sera sur nos traces°! On partage à Paris, chez moi, demain soir. Nous n'allons pas risquer de transporter l'argent nous-mêmes. Je ne veux pas dire que tu aies l'air d'un gangster, ni moi non plus, mais enfin, la police est tellement soupçonneuse de nos jours que même des gens aussi respectables que toi et moi peuvent être obligés à répondre à des questions indiscrètes... surtout quand 250.000 francs tout neufs viennent de disparaître de l'une des bijouteries les plus connues de la région. Non, mon vieux, je te dépose en passant à la gare et tu prends le premier train pour Paris, rien dans les mains, rien dans les poches. Moi, je vais réveiller Ginette à son hôtel. Je lui explique qu'une affaire pressante m'oblige à être à Paris avant midi; je lui demande de m'amener à l'aéroport▫ et je lui dis que si elle promet de faire très attention, elle peut ramener la voiture à Paris. Elle sera ravie°; elle meurt d'envie de conduire une Jaguar. On se retrouve tous les trois demain soir chez moi vers neuf heures. On amène Ginette passer la soirée au Lido pour la remercier de ses bons services, on la ramène chez elle, puis on va faire un tour au Bois, on arrête dans un coin tranquille pour sortir les sacs, on en prend chacun un et à nous la belle vie!

trace (f) **:** *trail*

ravi : *delighted*

Le lendemain Marcel et Tonio attendent Ginette chez Marcel. Tonio se lève toutes les cinq minutes, son verre à la main, pour aller regarder par la fenêtre si Ginette arrive.

— Il est déjà huit heures et demie. Elle devrait être là. Si elle est partie ce matin à huit heures, elle devrait être arrivée depuis longtemps! Il lui est certainement arrivé quelque chose!

— Ne t'énerve pas! D'abord, tu peux être sûr qu'elle ne sera pas partie avant neuf heures ou dix ou onze... et puis elle s'est arrêtée pour manger, quand même! Ça fait au moins deux heures de perdues.

— Marcel, ce n'est pas prudent. Tu n'aurais jamais dû confier ta Jag à° une petite fille comme ça. Elle n'a pas l'habitude. Tu lui as bien dit de faire attention, au moins?

confier à : *to entrust to*

— Oh écoute, Tonio, je sais ce que je fais! Quelle heure est-il? Neuf heures moins dix? Bon! Eh bien, Ginette sera là d'un instant à l'autre. J'ai tout prévu, mon vieux, tout calculé. Je ne me trompe jamais. C'est professionnel. Tiens, qu'est-ce que je te disais, neuf heures moins trois... la voilà. C'est elle. Va ouvrir. Eh bien, qu'est-ce que tu attends, va ouvrir!

— Non, mon petit Marcel, je ne peux pas. Je suis sûr que quelque chose est arrivé. Ce n'est pas Ginette. C'est la police. Tout est fichu°. Je le sais.

tout est fichu : *the jig's up, it's all over*

— Tonio, va ouvrir!

— J'y vais, j'y vais, ne t'énerve pas. De toute façon, maintenant ça n'a plus d'importance. Ils peuvent me tirer dessus s'ils veulent. Tout est fini. Adieu, Marcel... Ginette! C'est toi! Ah, ma petite Ginette! Comme ça me fait plaisir de te voir!

— Comment? Vous ne m'attendiez pas?

— Ne fais pas attention à Tonio et à ses plaisanteries stupides... Alors, ma belle, ce voyage, ça s'est bien passé, pas trop fatiguée, et la voiture, elle a bien marché?

— Formidable! J'ai fait du 110 presque tout le temps.

— Tu n'as pas eu d'ennuis°?

ennui (m) **:** *trouble, problem*

— Tu penses! C'est une merveille, cette voiture. Sur l'autoroute, après Auxerre, je l'ai poussée jusqu'à 140.

— Tu dois être fatiguée tout de même. Je vais te chercher quelque chose à boire. Tu vois, Tonio, je te l'avais bien dit, quand il s'agit de conduire, il n'y en a pas deux comme Ginette. On peut lui faire confiance.

Pendant que Marcel va à la cuisine, Ginette s'approche de Tonio et lui glisse à l'oreille :

— Ne dis rien à Marcel, il serait furieux, mais j'ai eu un petit accident, oh, rien du tout, il ne s'en apercevra jamais, j'ai tout fait réparer... Une D.S. qui me suivait depuis Avignon m'est rentré dedans° à un feu rouge au carrefour de Montélimar. Ce n'était pas grave, à peine une petite marque□ sur le pare-chocs arrière, mais tu connais Marcel avec sa voiture. Il aurait fait toute une histoire. Heureusement, j'ai fini par trouver un pare-chocs exactement pareil à Lyon et je l'ai fait changer. Mais j'ai eu du mal!

rentrer dedans : *to smash into*

MONIQUE SCHWEICH

QUESTIONS

1. Comment Marcel gagne-t-il sa vie?
2. Pourquoi Tonio est-il un collaborateur idéal pour Marcel?
3. Où vont-ils cette fois-ci? Pourquoi Marcel s'intéresse-t-il particulièrement à ce voyage?
4. A quelle heure partent-ils? Comment voyagent-ils?
5. Où vont-ils passer la nuit? Pourquoi?
6. Pourquoi est-ce que Tonio ne s'endort pas tout de suite?
7. Où vont-ils le lendemain?
8. Pourquoi Marcel est-il ennuyé que la marine américaine soit dans le port?
9. Où Marcel laisse-t-il Tonio? Quand est-ce qu'il y revient?
10. Qu'est-ce que Marcel apporte à Tonio? Qu'est-ce qu'il lui montre de la fenêtre?
11. Qu'est-ce que Tonio va faire semblant d'être? Qu'est-ce qu'il va faire dans la pharmacie?
12. Pourquoi Marcel est-il certain que personne ne viendra déranger Tonio dans son travail?

13. Pourquoi Marcel s'intéresse-t-il au voisin du pharmacien?
14. Où Marcel va-t-il aller pendant que Tonio travaille chez le pharmacien? Avec qui? Pourquoi?
15. Qu'est-ce que Marcel et Tonio vont faire une fois à l'intérieur de chez Van Cleeven?
16. Qu'est-ce que Tonio veut faire avant d'aller à la pharmacie? Que lui dit Marcel?
17. Que fait Tonio pendant l'après-midi?
18. Pourquoi s'endort-il tout de suite? Pourquoi Cannes est-elle pleine de vie ce soir-là?
19. Pourquoi le pharmacien est-il content de Tonio? Que lui raconte Tonio sur ses projets d'avenir?
20. Pourquoi le pharmacien préférerait-il que Tonio finisse le travail le soir-même? Qu'est-ce que Tonio lui propose de faire?
21. Comment Tonio a-t-il réussi à faire communiquer les deux prises d'air? Pourquoi a-t-il laissé une échelle contre le mur?
22. Pourquoi est-il surpris en rentrant dans sa chambre?
23. Que font Marcel et Tonio avant le dîner? A quelle heure arrivent-ils à la pharmacie?
24. Que fait Tonio une fois à l'intérieur de la pharmacie?
25. Pourquoi Tonio s'arrête-t-il au milieu de la conduite?
26. Pourquoi doit-il éviter le plus petit choc lorsqu'il détache une section de la conduite?
27. Que fait Marcel une fois chez Van Cleeven?
28. Pourquoi Marcel se met-il en colère contre Tonio? Pourquoi Tonio trouve-t-il que Marcel devrait l'écouter?
29. D'après Tonio, à quoi ressemblent les gants blancs de Marcel?
30. Qu'est-ce que Tonio a envie de dire à Marcel? Pourquoi est-ce qu'il ne le lui dit pas?
31. Qu'est-ce qui arrive tout à coup? Que fait Marcel?
32. Que fait Marcel quand le coffre est vide?
33. Où est-ce que Marcel a laissé la voiture? Pourquoi vont-ils prendre la rue Pasteur et la rue d'Antibes?

34. Pourquoi Tonio se jette-t-il dans le groupe des marins américains? Pourquoi Marcel est-il pressé de partir?
35. Où les agents veulent-ils emmener Marcel et Tonio?
36. Qui arrive ensuite? Que dit-il aux agents?
37. Comment Tonio explique-t-il au pharmacien pourquoi il ne lui a pas encore rapporté la clef?
38. Qu'est-ce que l'agent propose à Tonio?
39. Où vont Marcel et Tonio une fois dans la Jaguar?
40. En quoi le pare-chocs arrière de la Jaguar est-il différent des pare-chocs ordinaires?
41. Pourquoi Tonio proteste-t-il?
42. Qui va ramener l'argent à Paris? Pourquoi?
43. Comment Marcel va-t-il rentrer à Paris? Et Tonio? Où ont-ils rendez-vous avec Ginette?
44. Quand vont-ils partager l'argent?
45. Pourquoi Tonio s'inquiète-t-il lorsqu'ils attendent Ginette?
46. Qu'est-ce que Marcel dit pour le calmer?
47. Pourquoi Tonio ne veut-il pas ouvrir la porte?
48. Qu'est-ce que Ginette dit à Tonio pendant que Marcel est dans la cuisine?

FRENCH-ENGLISH VOCABULARY

All words occurring in this reader are listed in the vocabulary with the exception of the following: (1) articles, (2) most verb forms other than the infinitive, (3) numbers, (4) past participles used as adjectives when the appropriate meaning is listed under the infinitive, (5) personal pronouns, (6) possessive adjectives, (7) proper nouns that are easily recognizable.

The gender of a noun is indicated by *m* or *f* following the noun. If the masculine and feminine forms of the noun are the same, no gender indication is given. If the noun has a feminine form, the feminine ending is listed. Irregular noun plurals and irregular masculine plural forms of adjectives are listed following the singular form.

Verbs which are obligatorily reflexive or which occur only reflexively in this reader are listed in the reflexive form. Verbs which occur both transitively and reflexively and which have the same English meaning are indicated thus: (s') **ouvrir**—to open. If the English meanings differ, the reflexive form is listed separately: **appeler** to call; **s'appeler** to be named. When the reflexive use of the verb corresponds to an English infinitive plus "oneself" or "itself", only the transitive form is listed.

The abbreviation *fam* indicates a word is familiar, that is, characteristic of casual, spoken style. The abbreviation is used only when the English equivalent does not clearly indicate the level of speech. The abbreviation *fn* is used for footnote. Page indications are given for footnote reference. An asterisk before a word beginning with *h* indicates that the *h* is aspirate.

ABBREVIATIONS

abbr	abbreviation	*infin*	infinitive
adj	adjective	*inv*	invariable
adv	adverb	*m*	masculine
conj	conjunction	*n*	noun
dir obj	direct object	*pl*	plural
f	feminine	*pp*	past participle
fam	familiar	*prep*	preposition
fn	footnote	*pro*	pronoun

A

à to, at, in, about, on, with, by; **à deux mètres** two meters away; **à manger** something to eat; **à moi** mine; **pêche à la sardine** sardine fishing; **sortir à la rame** to row out
abandonner to abandon
abondant, -e abundant
abord *m*: (**tout**) **d'abord** first of all
absence *f* absence
absent, -e absent
absolument absolutely
absurde absurd
Académie Française *f* *see fn, p. 30*
accélérer to accelerate
accent *m* accent
accepter to accept
accessoire *m* accessory
accident *m* accident
acclamer to acclaim, cheer
accompagner to accompany
accord *m* agreement; **d'accord** all right
accorder to accord, grant
accueil *m* welcome, greeting
accueillir to greet
accuser to accuse
achat *m* purchase
acheter to buy
acrobatie *f* acrobatics
acte *m* act
acteur, -trice actor, actress
actif, -ve active
action *f* action
activement actively
adieu adieu, farewell
admirable admirable
admirateur, -trice admirer
admiratif, -ve admiring
admiration *f* admiration
admirer to admire
adopter to adopt
adorer to adore, love
adresse *f* address
adresser to address; **adresser la parole** to speak, talk
aéroport *m* airport
affaire *f* affair; job, deal; *pl* business; **homme d'affaires** businessman
affecter to affect, put on
affirmer to affirm, maintain
africain, -e African
Afrique *f* Africa
âge *m* age; **d'un certain âge** older
âgé, -e old
agence *f* agency
agent *m* agent; **agent de police** policeman
agir : il s'agit de it's a question of
agitation *f* agitation
agité, -e agitated, excited
agiter to wave, move; **s'agiter** to move, wriggle
agréable pleasant
agression *f* aggression
agriculture *f* agriculture
aide *f* aid, help; **appeler à l'aide** to call for help
aider to help
aiguille *f* needle
ailleurs elsewhere; **d'ailleurs** besides, moreover
aimable amiable, pleasant
aimer to like, love; **aimer mieux** to prefer
air *m* air, look; **avoir l'air** to look, appear; **en plein air** in the open air
aise *f* ease; **mal à l'aise** ill at ease
ajouter to add
alarme *f* alarm
alerté, -e alerted
algèbre *m* algebra
algérien, -nne Algerian
alias alias
allemand, -e German; *m* German language
aller to go; **allons-y** let's go; **ça pourra aller** that might be OK; **ça va** all right; **comment ça va** how are you; **vas-y doucement** take it easy
allô hello
allumer to light; **s'allumer** to light up
allumette *f* match
alors then, so
altitude *f* altitude
A.M. *abbr* **Alpes Maritimes** *see fn, p. 134*
amasser to amass
ambassadeur *m* ambassador
ambition *f* ambition
ambulance *f* ambulance
amener to bring, take
américain, -e American

Amérique *f* America
ami, -e friend
amoureux *m pl* people in love
amusé, -e amused
amusement *m* amusement
s'amuser to have a good time
an *m* year
analyser to analyze
ancêtre *m* ancestor
ancien, -nne old, former; **anciens francs** old francs; *see fn, p. 52*
âne *m* donkey
ange *m* angel
anglais, -e English; *n* English person; *m* English language
Angleterre *f* England
anglicisme *m* Anglicism
animal (animaux) *m* animal
s'animer to become animated
année *f* year
annonce *f* announcement
annoncer to announce
annuel, -lle annual
antiquité *f* antiquity
anxiété *f* anxiety
août *m* August
apercevoir to notice
aperçoit, on *infin* **apercevoir**
aperçu *pp* **apercevoir**
apparaître to appear
appareil *m* apparatus
appartement *m* apartment
appartenir to belong
appeler to call; **s'appeler** to be named
appétit *m* appetite
applaudir to applaud
appliquer to apply
apporter to bring
apprécier to appreciate
apprendre to learn; **apprendre à** + *noun* to teach
approcher to approach, come near; **s'approcher de** to approach
appuyé, -e leaning
s'appuyer to lean
après after; **d'après** according to, from
après-demain the day after tomorrow
après-midi *m* afternoon
arabe Arab
Arabie Saoudite *f* Saudi Arabia
arbre *m* tree
archéologie *f* archeology
archives *f pl* archives, records
arène *f* arena
argent *m* money
argument *m* argument
aria *f* aria
aride arid, dry
arménien, -nne Armenian
arrangement *m* arrangement
arranger to arrange, set up; **ça m'arrangerait bien** I'd really appreciate it
arrêt *m* stop; **sans arrêt** without stopping
(s') **arrêter** to stop
arrière rear, back; **à l'arrière** in back; **en arrière** behind, in back; *n m* back
arrière-grand-mère *f* great-grandmother
arrière-petits-enfants *m pl* great-grandchildren
arrivée *f* arrival
arriver to happen; arrive; **arriver à** + *infin* to be able to
arrogant, -e arrogant
arrondissement *m* *see fn, p. 52*
arroser to water, throw water on
art *m* art
article *m* article
artificiel, -lle artificial
artiste artist
artistique artistic
aspect *m* look, aspect
aspirine *f* aspirin
assaillant *m* assailant
assassin *m* assassin
assemblée *f* assembly, meeting
s'asseoir to sit down
s'asseyaient, ils *infin* **s'asseoir**
assez enough; rather, quite
assieds *infin* **s'asseoir**
assiette *f* plate
assis *pp* **asseoir**
assis, -e seated, sitting
assistant, -e assistant
assister à to attend
associé, -e associate
assurer to assure
asthmatique asthmatic
astrologue *m* astrologer
athlète *m* athlete
Atlantide *see fn, p. 86*
atlas *m* atlas
atmosphère *f* atmosphere
attacher to attach

attaquer to attack; **s'attaquer à** to choose as a target
attendre to wait, wait for
attention *f* attention; **faire attention à** to be careful of, pay attention to
attentivement attentively
atterrir to land
attirer to attract
attitude *f* attitude
attraction *f* attraction
attraper to catch
aucun, -e : ne... aucun no, none
audacieux, -se audacious, daring
au-dessus (de) above, over
augmenter to increase
aujourd'hui today
aussi also, too; **aussi... que** as . . . as
austère austere, severe
autant de as much, as many
auteur *m* author
authentique authentic
autobus *m* bus
autocar *m* bus
automatique automatic
automobile *f* automobile
automobiliste automobile driver
autorisation *f* authorization
autorité *f* authority
autoroute *f* highway
auto-stop *m* hitchhiking; **faire de l'auto-stop** to hitchhike
autour (de) around
autre other; **autre chose** anything else, something else; **en voir d'autres** to go through worse things; **les uns après les autres** one after the other; **personne d'autre** no one else, anyone else; **rien d'autre** nothing else
autrefois in the old days
avance : en avance advanced
avancer to advance, make headway; **s'avancer** to advance
avant before; **avant de** before; **avant que** *conj* before
avant *m* front, bow
avantage *m* advantage
avec with
avenir *m* future
aventure *f* adventure
averse *f* shower (rain)
avion *m* airplane
avis *m* opinion
avoir to have; **après avoir** + *pp* after having + *pp*; **avoir besoin de** to need; **avoir de la chance** to be lucky; **avoir de la peine à** to have difficulty in; **avoir du mal à** to have a hard time; **avoir envie de** to want (to); **avoir faim** to be hungry; **avoir froid** to be cold; **avoir horreur de** to hate; **avoir l'air** to look, appear; **avoir le mal du pays** to be homesick; **avoir le vertige** to feel dizzy in high places; **avoir l'habitude de** to be used to; **avoir lieu** to take place; **avoir l'intention de** to intend to; **avoir mal à** to hurt, have an ache in; **avoir peur** to be afraid; **avoir raison** to be right; **avoir sommeil** to be sleepy; **ayant** having; **qu'est-ce que vous avez** what's the matter with you
avril *m* April
ayant *see* **avoir**

B

baccalauréat *m* *see fn, p. 1*
bagage *m* baggage, luggage
baie *f* bay
baisser to lower; **se baisser** to bend down
balayer to sweep, sweep away
baleine *f* whale
baleinier, -ère whale
balle *f* ball
ballet *m* ballet
ballon *m* ball
banque *f* bank
banquet *m* banquet
baptiser to baptize
bar *m* bar
baron, -nne baron, baroness
barque *f* boat
barrer to block, obstruct
barrière *f* barrier
bas, -sse low; **en bas** down
basque Basque; *n m* Basque person
bataille *f* battle; **champ de bataille** battlefield
bateau (bateaux) *m* ship, boat; **bateau à rames** rowboat; **bateau à voiles** sailboat
bâtir to build
bavard, -e talkative
bavarder to chatter

beau, bel, belle (*m pl* **beaux**) beautiful, nice, handsome; **faire beau** to be nice (weather)
beaucoup much, many
beauté *f* beauty
béret *m* beret
besoin *m* need; **avoir besoin de** to need
bête silly, dumb; *n f* animal
bêtement stupidly
beurré, -e buttered
bibliothèque *f* library
bicyclette *f* bicycle
bien well, good, very, all right; **bien des** many; **bien que** although; **bien sûr** of course, naturally; **vouloir bien** to be willing to, be so kind as to
bientôt soon
bifteck *m* steak
bijou (**bijoux**) *m* jewel
bijouterie *f* jewelry store
bijoutier *m* jeweler
billet *m* ticket; bill
bipède biped
bizarre bizarre, strange
blanc, -che white
blesser to injure
bleu, -e blue
blond, -e blond
bloquer to block
blue-jean *m* pair of blue jeans
bohème bohemian
boire to drink; **buvant** drinking
bois *m* wood
boit, on *infin* **boire**
boîte *f* box, can; **en boîte** canned, in cans
boivent, ils *infin* **boire**
bol *m* bowl
bon, -nne good; **bon marché** cheap, inexpensive; **de bonne heure** early
bonbon *m* piece of candy
bonjour hello
bonne *f* maid
bord *m* edge, side; **à bord** on board
border to border, line
bouche *f* mouth
boucherie *f* butcher shop
bouger to move
bouillabaisse *f* bouillabaisse, fish soup
boulangerie *f* bakery
boule *f* ball
boulevard *m* boulevard
bouquet *m* bouquet
bourgeois, -e bourgeois, middle-class; *n* middle-class person
Bourgogne *m* Burgundy wine
bousculer to jostle
bout *m* piece; **au bout de** at the end of, after
bouteille *f* bottle
boutique *f* shop
bouton *m* button; knob
boxe *f* boxing
bras *m* arm
Bretagne *f* Brittany
breton, -nne Breton
bridge *m* bridge
briller to shine
brioche *f* brioche
broche *f* brooch
bronzé, -e tan, tanned
bruissant, -e humming
bruit *m* noise
brûlé *m* **: odeur de brûlé** burned smell
brûler to burn
brume *f* mist
brusque brusque
brusquement brusquely
bruyant, -e noisy
bu *pp* **boire**
buisson *m* bush
bureau (**bureaux**) *m* office; desk
buvaient, ils *infin* **boire**
buvant *see* **boire**

C

ça that, it; **ça va** all right; **Ça y est!** That does it!
câble *m* cable
cacher to hide
cadeau *m* gift
café *m* café; coffee
cahier *m* notebook
caillou (**cailloux**) *m* pebble
calcul *m* calculation
calculer to calculate
calme calm
calmer to calm down, quiet; **se calmer** to calm down
camélia *m* camelia
camion *m* truck
camp *m* camp
campagne *f* country; campaign

camper to camp
camping *m* camping
canne *f* cane
capacité *f* capacity
capitaine *m* captain
capitale *f* capital
captivant, -e captivating
car for, because
caractère *m* character, disposition
caravane *f* caravan
cargo *m* cargo ship
carrefour *m* intersection
carrière *f* career
carte *f* card; map
casino *m* casino
casser to break; **casser la croûte** *fam* to have a snack
catastrophe *f* catastrophe; **Catastrophe!** Horrors!
catastrophique catastrophic
cathédrale *f* cathedral
catholique Catholic; **il n'a pas l'air très catholique** it looks fishy
cauchemar *m* nightmare
cause *f* cause; **à cause de** because of
causer *fam* to chat
ce, cet, cette, ces this, that, these, those
ce he, she, it, they, that, this, these, those; **ce que** that which; **ce qui** what, which
ceci this
céder to give in
cela that
célébrer to celebrate
céleste celestial
celui, celle, ceux, celles the one, that, the ones, those; **celui-ci** the latter, this one
centaine *f* about a hundred
centre *m* center
certain, -e certain; **d'un certain âge** older
certainement certainly
chaise *f* chair; **chaise longue** chaise longue, lounging chair
châle *m* shawl
chalet *m* chalet
chaleur *f* heat, warmth
chaleureusement warmly
chambre *f* bedroom
champ *m* field; **champ de bataille** battlefield
champagne *m* champagne
champion, -nne champion
chance *f* luck; **avoir de la chance** to be lucky
changer (**de**) to change; **changer les idées à quelqu'un** to take someone's mind off something
chanson *f* song
chanter to sing
chanteur, -se singer
chapeau (**chapeaux**) *m* hat
chapelier *m* hatter, hat maker
chapelle *f* chapel
chaque each, every
charcuterie *f* delicatessen, pork butcher shop
charcutier *m* pork butcher
se charger de to take charge of
charmant, -e charming
charme *m* charm
charrette *f* cart
chasse *f* hunting
chasser to chase away
chat *m* cat
chatouilleux, -se touchy, ticklish
chaud, -e warm, hot; **faire chaud** to be warm (weather)
chauffeur *m* driver
chausson *m* slipper; **chausson de danse** ballet slipper
chaussure *f* shoe
chemin *m* road, way
chemise *f* shirt
chèque *m* check
cher, -ère expensive; dear
chercher to look for; **chercher à** to try
cheval (**chevaux**) *m* horse; **à cheval** on horseback
cheveux *m pl* hair
chez at the home of, at the place of business of; **chez nous** where we live; **de chez Guerlain** from Guerlain
chic stylish
chien *m* dog
Chine *f* China
chinois, -e Chinese
choc *m* shock
chocolat *m* chocolate
choisir to choose
choix *m* choice
chose *f* thing; **autre chose** anything else, something else
chute *f* fall

-ci : celui-ci the latter, this one
cidre *m* cider
ciel *m* sky
cigarette *f* cigarette
cimetière *m* cemetery
cinéma *m* movies, movie theater
circonstance *f* circumstance
circulation *f* traffic
circuler to move, travel
cirque *m* circus
civilisation *f* civilization
civilisé, -e civilized
clair, -e light
clameur *f* shout, uproar
clarifier to clarify
classe *f* class
clef *f* key
clic *m* click
client, -e customer, client
clientèle *f* clientele, customers
climat *m* climate
climatisation *f* air-conditioning
climatisé -e air-conditioned
clin *m* **: en un clin d'œil** in no time
cloche *f* bell
cocarde *f* *see fn, p. 98*
cœur *m* heart
coffre-fort *m* safe
coiffeur *m* barber
coin *m* corner, spot
col *m* mountain pass
colère *f* anger; **se mettre en colère** to get angry
collaborateur, -trice collaborator
collection *f* collection
collectionner to collect
collègue colleague
collier *m* necklace
colline *f* hill
colonel *m* colonel
colonie *f* colony
combat *m* combat, fight
combien how much, how many
comble *m* thing that really did it
comité *m* committee
commandement *m* command
comme how, as, for, like; **comme ça** that way
commencer to begin
comment how, what; **comment il faut faire** what to do
commissariat *m* **: commissariat de police** police station
commun, -e common
communal, -e (*m pl* **communaux**) communal
communication *f* communication
communiquer to communicate; **faire communiquer** to join
compagnie *f* company
compagnon *m* companion
comparer to compare
comparaison *f* comparison
compartiment *m* compartment
complet *m* (man's) suit
complètement completely
complexe *m* complex
complexité *f* complexity
complication *f* complication
compliqué, -e complicated
se compliquer to become complicated; **se compliquer la vie** to complicate one's life
composer to compose; **se composer** to be composed of
comprendre to understand
compte *m* **: le compte y est** it's all there; **se rendre compte** to realize
compter to intend to
comptoir *m* counter
comtesse *f* countess
se concentrer to center all one's attention, concentrate
concert *m* concert
concierge caretaker
conclusion *f* conclusion
concurrent, -e contestant
condition *f* condition
conduire to drive; take, lead
conduite *f* shaft
confiance *f* confidence; **faire confiance à** to have confidence in, trust
confier à to entrust to
confort *m* comfort; **confort moderne** modern conveniences
confortable comfortable
confortablement comfortably
confus, -e confused
confusion *f* confusion
congratuler to congratulate
congrès *m* congress, conference
connaissance *f* acquaintance; **faire la connaissance de** to meet, make the acquaintance of

connaître to know, be acquainted with
conscience *f* conscience
conseil *m* piece of advice; council
conseiller to advise
consentement *m* consent
conséquence *f* consequence; **être lourd de conséquences** to have serious consequences
conservatoire *m* conservatory
considérable considerable
considérer to consider
consoler to console
constamment constantly
constituer to constitute, make up
constitution *f* constitution
construction *f* construction
construire to build, construct
construit *pp* **construire**
consulter to consult
contact *m* contact
contempler to contemplate, gaze upon
contenir to contain
content, -e happy, glad
se contenter de to be contented with
continent *m* continent
continuel, -lle continual
continuer to continue
contraire *m* opposite; **au contraire** on the contrary
contraste *m* contrast
contrat *m* contract
contre against
contrebande *f* smuggling
contrebandier *m* smuggler
conversation *f* conversation
copain, copine pal
copieux, -se copious, plentiful
corde *f* rope
corps *m* body
corral *m* corral
correspondance *f* correspondence
correspondant, -e correspondent
corriger to correct
corruption *f* corruption
corsaire *m* pirate
Corse *f* Corsica
corse Corsican
cosmique cosmic
costume *m* costume
côte *f* coast; hill; **la Côte** *short for* **la Côte d'Azur** the French riviera
côté *m* side; **à côté de** next to; **de côté** aside
cou *m* neck
couché, -e lying
coucher to sleep; **se coucher** to go to bed
coude *m* bend, elbow
couleur *f* color
coup *m* blow, knock; **coup de pied** kick; **coup de poing** punch; **coup de téléphone** telephone call; **grand coup** masterstroke; **tout à coup** suddenly; **tout d'un coup** all of a sudden
coupé, -e cut
couple *m* couple
coupole *f* cupola, dome
cour *f* courtyard
courage *m* courage
courant *see* **courir**
courant, -e current; *n m* **au courant** up to date
courent, ils *infin* **courir**
courir to run; **courant** running; **courir dans la cocarde** to take part in the cocarde; **partir en courant** to run out
cours, tu *infin* **courir**
cours *m* class, course
course *f* errand; race; course; **course à pied** track
court, -e short
cousin, -e cousin
couteau (**couteaux**) *m* knife
coûter to cost
couvert *pp* **couvrir**
couverture *f* blanket
couvrir to cover
cravate *f* necktie
création *f* creation
créature *f* creature
créer to create
crémier, -ère person who sells dairy products
creuser to dig
crever to have a flat tire
crevette *f* shrimp
cri *m* shout; **pousser un cri** to cry out
crier to shout
crime *m* crime; murder
cristal *m* crystal
croire to believe, think; **il croit sentir** he thinks he smells
croissant *m* croissant, *see fn, p. 108*
croûte *f*: **casser la croûte** *fam* to have a snack
cru, -e raw

cruel, -lle cruel
cuisine *f* kitchen; cuisine, cooking
cuit, -e cooked
cultiver to cultivate
culture *f* culture
cure *f* cure
curieux, -se curious, odd

D

dame *f* lady
danger *m* danger
dangereux, -se dangerous
dans in, into; **boire dans** to drink from
danser to dance
danseuse *f* dancer
de from, of, about, in, on, by, for, with; **faire du 110** to go 110 (kilometers an hour); **rester de garde** to stay as a guard
se débarrasser de to get rid of
debout standing; **Debout!** Get up!
se débrouiller to work things out
début *m* beginning
décembre *m* December
déchiffrer to decipher
déchiré, -e torn
décidément decidely
décider (de) to decide; **se décider à** to decide to
déclarer to declare
décoration *f* decoration
décorer to decorate
découverte *f* discovery
découvrir to discover
décrire to describe
défendre to forbid; defend
défense *f* defense; **légitime défense** self-defense
définir to define
définitivement definitively
déformé, -e deformed
dehors outside
déjà already; ever
déjeuner *m* lunch
déjeuner to have lunch
délégation *f* delegation
délicat, -e delicate
délicieux, -se delicious
délire *m* delirium
demain tomorrow
demander to ask; **se demander** to ask oneself, wonder
demi *m* glass of draft beer
demi half
demi-sourire *m* half-smile
demoiselle *f* young woman
démon *m* demon
dent *f* tooth
départ *m* departure
se dépêcher to hurry
dépense *f* expense
dépenser to spend money
déplaire to displease
déposer to drop off, deposit
depuis for, in; **depuis que** since
déranger to disturb
dernier, -ère last
derrière behind
dès immediately upon, from; **dès que** as soon as
désagréable unpleasant, disagreeable.
désassembler to disassemble, take apart
descendre to go down; **descendre de** to get off; **descendre à terre** to go ashore
descente *f* descent
désert, -e deserted; *n m* desert
déshonoré, -e dishonored, disgraced
désir *m* desire, wish
désirer to desire, want
désobéir à to disobey
désodorisant, -e deodorizing
désolé, -e very sorry
dessert *m* dessert
dessiner to draw
dessus on top
destination *f* destination
destiné, -e destined
détacher to detach
détail *m* detail
détaillé, -e detailed
détective *m* detective
déterminer to determine
détester to detest
devais, je *infin* **devoir**
devant in front of
devenir to become
devez, vous *infin* **devoir**
devoir *m* written homework assignment
devoir to have to; **elle devait se sentir** she must have felt; **il a dû** he must have; **ils avaient dû** they must have; **j'aurais dû** I should have; **je devrais** I should; **je dois** I must, should, have to
devrais, je *see* **devoir**
dialecte *m* dialect

diamant *m* diamond
dictionnaire *m* dictionary
dieu *m* god
différence *f* difference
différent, -e different
difficile difficult
difficulté *f* difficulty
diffuse diffuse
dimanche *m* Sunday
dîner *m* dinner
dîner to have dinner
dinosaure *m* dinosaur
diplomate *m* diplomat
diplomatique diplomatic
diplôme *m* diploma
dire to say, tell; **c'est-à-dire** that is; **disant** saying, telling; **Dis donc!** Say!; **le nom me dit quelque chose** the name rings a bell; **vouloir dire** to mean
directeur *m* director; **président-directeur-général** president (of a company)
direction *f* direction
disant *see* **dire**
discours *m* speech
discret, -ète discreet
discussion *f* discussion
discuter to discuss, argue
disparaître to disappear
disperser to disperse, scatter
distinction *f* distinction
distinguer to distinguish, make out
distraction *f* amusement
divan *m* divan, couch
dizaine *f* about ten
docteur *m* doctor
document *m* document
dois, je *see* **devoir**
doivent, ils *infin* **devoir**
dollar *m* dollar
domicile *m* domicile, residence
domination *f* domination
dommage *m* : **c'est dommage** that's too bad
donc then, therefore
donner to give; **donner un coup de téléphone** to call
dont which, of which
dormir to sleep
dos *m* back
dose *f* dose
douanier *m* customs official
doucement gently, softly; **vas-y doucement** take it easy
douceur *f* mildness
doute *m* doubt; **sans doute** probably
doux, -ce gentle, soft
douzaine *f* dozen
dragée *f* sugared almond
dragon *m* dragon
drogué, -e drugged
droit *m* right; **nous n'avons pas droit au café** we are not allowed to have coffee
droit : aller droit à to go straight to; **droit sur** straight toward
droite *f* right; **à droite** on the right
drôle funny; **une drôle d'impression** a funny impression
drôlement very, mighty
dû *see* **devoir**
duchesse *f* duchess
dune *f* sand dune
dur, -e hard; **jouer les durs** to play the tough guy
durer to last

E

eau (eaux) *f* water
échapper à to escape; **s'échapper** to escape
échelle *f* ladder
écho *m* echo
éclair *m* flash of light; lightning
éclairer to light
école *f* school
économie *f* economy; **faire des économies** to economize
économique economic
écouter to listen to
écrasant, -e unbearable
écraser to crush, squash
écrire to write
écriture *f* handwriting; **écriture de chat** illegible scrawl
écrivain *m* writer
édifice *m* edifice, building
éducation *f* training, upbringing
effet *m* effect
effort *m* effort
église *f* church
égoïste egoistic, selfish
eh bien... well, then . . .
élaboré, -e elaborate
électricité *f* electricity
électrique electric
élégant, -e elegant

éléphant *m* elephant
élever to bring up, raise
elfe *m* elf
elliptique elliptical
s'éloigner to move away
éloquence *f* eloquence
émaner to emanate, come from
embarquer to embark, put on board
embarrassé -e embarrassed
émeraude *f* emerald
émigrer to emigrate
émir *m* emir
émission *f* program
emmener to take, take away
émotion *f* emotion, emotional state
empêcher to prevent, keep from
empire *m* empire
employé, -e employee, clerk
emporter to take away
emprunter to borrow
en *prep* in, on, by, of, to, at; **en bons frères** like good brothers; **en même temps** at the same time; **en poche** in one's pocket; **peint en jaune** painted yellow
en some, any, of it, of them, about it, about them, from there; **pour en revenir** to come back to
enchanté, -e delighted
encombrer to crowd
encore still, yet, again, even; **encore une fois** once again
encouragement *m* encouragement
encre *f* ink
encyclopédie *f* encyclopedia
endormi, -e asleep, sleeping
endormir to put to sleep; **s'endormir** to go to sleep
endroit *m* place, spot
énergie *f* energy
énergiquement energetically
s'énerver to get upset
enfance *f* childhood
enfant child
enfermer to close in
enfin finally
engager to engage, hire; **engager la conversation** to begin a conversation
enlever to take off, remove
ennemi, -e enemy
ennui *m* boredom; trouble, problem
ennuyer to annoy; to bore; **s'ennuyer** to get bored
ennuyeux, -se boring
énorme enormous
énormément enormously
ensemble together
ensuite then
entendre to hear; **entendre parler de** to hear about; **s'entendre avec** to get along with
enthousiasme *m* enthusiasm
enthousiaste enthusiastic
entier, -ère whole, entire
entourer to surround
entraînement *m* training
entre between, among
entrée *f* entrance
entreprise *f* company
entrer to enter, go in
envahir to invade
enveloppé, -e enveloped
envie *f* wish, desire; **avoir envie de** to want (to); **mourir d'envie de** to be dying to
envoyer to send
épais, -sse thick
épicerie *f* grocery store
épouser to marry
équilibre *m* balance, equilibrium; **garder en équilibre** to balance
équipe *f* team
équipé, -e equipped
éreinté, -e exhausted
erreur *f* error
escalier *m* stairway
escapade *f* escapade
espace *m* space
Espagne *f* Spain
espérer to hope
espion, -nne spy
espoir *m* hope
esprit *m* mind
essayer to try
essentiel *m* essential thing
essentiellement essentially
estomac *m* stomach
et and
établir to establish
étage *m* floor, story
étang *m* pond, marsh
étape *f* lap
état *m* state, condition
États-Unis *m pl* United States
été *m* summer
éteint, -e extinguished

étendre to stretch out
éternel, -lle eternal, everlasting
étinceler to sparkle
étonner to surprise, astonish; **s'étonner** to be surprised
étouffer to smother
étourdi, -e dizzy
étrange strange
étranger, -ère foreign; *n* foreigner
être to be; **après être** + *pp* after having + *pp*; **être à** to belong to; **être en train de** to be in the process of, be busy
étroit, -e narrow
études *f pl* studies; **faire ses études** to study
étudiant, -e student
étudier to study
euphémisme *m* euphemism, *see fn, p. 65*
évacué, -e evacuated
évaluer to evaluate
s'évaporer to evaporate
évidemment evidently
évidence *f* evidence
éviter to avoid
évolution *f* evolution
exact, -e exact
exactement exactly
exagérer to go too far, get carried away
examen *m* examination
examiner to examine
exaspéré, -e exasperated
excellent, -e excellent
excentrique eccentric
excepté except
excès *m* excess
exciter to excite; **s'exciter** to get excited
s'exclamer to exclaim
exclu, -e excluded
exclusif, -ve exclusive
excuse *f* excuse
excuser to excuse
exemple *m* example
exercice *m* exercise
exil *m* exile
exilé, -e exiled person
existence *f* existence
exister to exist
expédition *f* expedition
expérience *f* experience
explication *f* explanation
expliquer to explain
explorateur *m* explorer
exploration *f* exploration
explorer to explore
exporter to export
expression *f* expression
exprimer to express
expurgé, -e expurgated
exquis, -e exquisite
extérieur *m* outside
extraordinaire extraordinary
extrême extreme
extrêmement extremely
extrémité *f* extremity

F

fabriquer to fabricate, make
fabuleux, -se fabulous
façade *f* façade
face : en face de across from; **face à** facing
facile easy
facilement easily
faciliter to facilitate
façon *f*: **de toute façon** in any case
faim *f* hunger; **avoir faim** to be hungry
faire to make, do; **ça fait du bien** it feels good; **ça me fait quelque chose** it makes me sad; **comment est-ce que vous faites** how do you manage; **faire attention à** to be careful of, pay attention to; **faire chaud** to be warm (weather); **faire communiquer** to join; **faire confiance à** to have confidence in, trust; **faire de l'auto-stop** to hitchhike; **faire des cauchemars** to have nightmares; **faire des économies** to economize; **faire de son mieux** to do one's best; **faire des pirouettes** to pirouette; **faire du ski** to go skiing; **faire fortune** to make one's fortune; **faire froid** to be cold (weather); **faire jour** to be daylight; **faire la connaissance de** to meet, make the acquaintance of; **faire la queue** to stand in line; **faire le malin** to act smart; **faire mal à** to hurt; **faire peur à** to frighten; **faire plaisir à** to please, give pleasure to; **faire** + *infin* to have, get (something done); to make (someone do something); **faire remarquer** to point out; **faire semblant de** to pretend to; **faire ses études** to study;

faire signe à to signal; **faire une promenade** to go for a walk, ride; **faire une reconnaissance** to go on reconnaissance; **faire un récit** to give an account; **faire un tour** to take a trip; **faisant** doing, making; **nous nous sommes fait pousser** we got pushed; **qu'est-ce que vous voulez que ça me fasse** what do I care; **se faire** to make (for oneself); **se faire des idées** to imagine things; **se faire une raison** to resign onself; **s'en faire** to worry
faisant *see* **faire**
fait *m* fact; **fait accompli** accomplished fact
falloir to be necessary
falsifié, -e falsified
fameux, -se famous
famille *f* family
fantaisiste fantastic
fantastique fantastic
fantôme *m* phantom, ghost
farce *f* farce
fasciné, -e fascinated
fatigant, -e fatiguing, tiring
fatiguer to fatigue, tire
faussement falsely
faute *f* mistake
fauteuil *m* armchair
favori, -ite favorite
fébrile feverish
féliciter to congratulate
féminin, -e feminine
femme *f* woman; wife
fenêtre *f* window
ferme firm
fermer to close
fermier *m* farmer, farmhand
fertile fertile
fête *f* holiday, feast
feu *m* fire; traffic light
feuille *f* leaf
feuilleter to leaf through
fiancé, -e engaged; *n* fiancé(e)
fichu : tout est fichu *fam* the jig's up, it's all over
fidèle faithful
fier, -ère proud
fièvre *f* fever; **forte fièvre** high fever
figure *f* face
fil *m* wire; **fil barbelé** barbed wire
filet *m* net
fille *f* daughter, girl; **jeune fille** girl
film *m* film, movie
fils *m* son
filtre *f fam* filter cigarette
fin, -e fine, delicate
fin *f* end
finalement finally
financier, -ère fiancial
finir to finish; **finir par** + *infin* to end up
fixe fixed, permanent
fixé, -e fixed; **fixé sur** staring at
fixer : fixer son regard sur to stare at
fleur *f* flower
flic *m* cop
foie *m* liver
fois *f* time; **encore une fois** once again
foncé, -e dark; **gris foncé** dark gray
fonction *f* function, duty
fond *m* bottom
fondre to melt
fontaine *f* fountain
football *m* soccer
forcer to force
forêt *f* forest
forme *f* form, shape; **en pleine forme** in topnotch shape
former to form
formidable great, terrific
fort, -e strong; large, stout; **forte fièvre** high fever; *n m* fort
fortune *f* fortune; **faire fortune** to make one's fortune
fou, folle crazy
foule *f* crowd
fragile fragile, delicate
fragment *m* fragment
fraîcheur *f* freshness
frais, fraîche cool; fresh
franc *m* franc; **anciens francs** old francs, *see fn, p. 52*
français, -e French; *n* French person; *m* French language
France *f* France
franglais *see fn, p. 29*
fréquenter to frequent
frère *m* brother
frigidaire *m* refrigerator
frit, -e fried; **les pommes frites** French fried potatoes
froid, -e cold; *n m* cold; **avoir froid** to be cold; **faire froid** to be cold (weather)

froissé, -e wrinkled
fromage *m* cheese
frontière *f* border
frotter to rub; **frotter une allumette** to strike a match
fruit *m* piece of fruit
fumée *f* smoke
fumer to smoke
furieux, -se furious
fusil *m* rifle
futile futile
futur, -e future

G

gagner to win, earn
gai, -e gay, happy
galant, -e gallant
galop : au galop at a gallop, at full speed
galoper to gallop
gangster *m* gangster
gant *m* glove
garage *m* garage
garantir to guarantee
garçon *m* boy, fellow; waiter
garde *f* guard (regiment); **rester de garde** to stay as a guard
garder to keep
gardian *m* *see fn, p. 99*
gare *f* railroad station
gauche *f* left; **à gauche** on the left
gendre *m* son-in-law
gêner to bother
général, -e (*m pl* **généraux**) general; *n m* general
généralement generally
génération *f* generation
généreux, -se generous
génial, -e (*m pl* **géniaux**) brilliant
gens *m pl* people
gentil, -lle nice
géographie *f* geography
gerbe *f*: **gerbe d'étincelles** burst of sparks
germe *m* germ
geste *m* gesture
gifle *f* slap (in the face)
gifler to slap (in the face)
gigot *m* leg of lamb
glissant, -e slippery
glisser to slip; **se glisser** to slip, sneak
gloire *f* glory
gober to suck
gonfler to inflate
gorge *f* throat
goût *m* taste
goûter to taste
gouvernement *m* government
grâce : grâce à thanks to
grain *m* grain
grand, -e tall, big, great; **les grandes vacances** summer vacation
grand-chose : pas grand-chose not much
grand-mère *f* grandmother
grand-oncle *m* great-uncle
grand-père *m* grandfather
grand-route *f* highway
grand-rue *f* main street
grave serious
grec, -cque Greek; *n* Greek person
griller to grill
grimper to climb
gris, -e gray
grommeler to grumble
gros, -sse big, huge
grotte *f* cave
groupe *m* group
guérir to cure
guerre *f* war
guide *m* guide

H

h. *abbr* **heure**(s)
s'habiller to get dressed
habit *m*: **habit vert** *see fn, p. 35; pl* clothes
habitable habitable
habiter to live
habitude *f*: **avoir l'habitude de** to be used to; **d'habitude** usually
habituel, -lle habitual
s'habituer to become accustomed
°**hagard, -e** haggard, wild
°**haie** *f* hedge
°**hareng** *m* herring
°**haricot** *m*: **haricot vert** string bean
harmonieux, -se harmonious
°**haut, -e** high; **à haute voix** aloud; **en haut de** above, at the top of; *n m* top
°**hein** eh, huh
°**hélas** alas
hélicoptère *m* helicopter

herbe *f* grass
hériter to inherit
héroïque heroic
hésiter to hesitate
heure *f* hour; **à tout à l'heure** see you later; **de bonne heure** early; **40 kilomètres à l'heure** 40 kilometers an hour
heureusement fortunately
heureux, -se happy
hier yesterday
hippopotame *m* hippopotamus
histoire *f* story; history; **faire une histoire** to make a big thing (out of something)
historique historical
hiver *m* winter
°**hold-up** *m* holdup
homme *m* man; **homme d'affaires** businessman
honneur *m* honor
hôpital *m* hospital
horizon *m* horizon
horreur *f* horror; **avoir horreur de** to hate
horrible horrible
°**hors-d'œuvre** *m inv* hors-d'œuvre, appetizer
hostile hostile
hôtel *m* hotel
huître *f* oyster
humanoïde humanoid, humanlike
humeur *f*: **de mauvaise humeur** in bad humor, in a bad mood
hypnotisé, -e hypnotized
hypothèse *f* hypothesis, theory
hystérie *f* hysteria
hystérique hysterical

I

ici here; **par ici** this way
idéal, -e (*m pl* **idéaux**) ideal
idée *f* idea; **changer les idées à quelqu'un** to take someone's mind off something; **se faire des idées** to imagine things
identifié, -e identified
identité *f* identity
idiot, -e idiotic, stupid; *n* idiot
idolâtrie *f* idolatry
idole *f* idol
ignorance *f* ignorance
ignorer not to know
île *f* island
il y a there is, there are
imagination *f* imagination
imaginer to imagine, think
imbécile imbecile
immaculé, -e immaculate
immédiatement immediately
immense immense
s'immobiliser to become immobilized, still
impatience *f* impatience
impeccable impeccable, flawless
importance *f* importance
important, -e important
importé, -e imported
imposant, -e imposing
impossible impossible
impression *f* impression
impressionnable impressionable
impressionner to impress
improviser to improvise
incapable incapable
incertain, -e uncertain
incident *m* incident
incognito incognito
incomparable incomparable
incompatible incompatible
incompréhensible incomprehensible
inconnu, -e unknown
incrédule incredulous, unbelieving
indépendance *f* independence
indésirable undesirable
indication *f* indication
indice *m* clue
indien, -nne Indian
indifférence *f* indifference
indifférent, -e indifferent
indigeste indigestible
indignation *f* indignation
indiquer to indicate
individu *m* individual, person
indulgent, -e indulgent
industrie *f* industry
infini, -e infinite
influence *f* influence
influencé, -e influenced
ingénieur *m* engineer
ingénieux, -se ingenious, clever
inintelligible unintelligible
initiale *f* initial
initier to initiate
innocent, -e innocent

inquiet, -ète worried
inquiétant, -e alarming
(s')inquiéter to worry
inscription *f* inscription
s'inscrire to sign up
insignifiant, -e insignificant
insistance *f* insistence
insistant, -e insistent
insister to insist
inspecteur *m* inspector
inspiration *f* inspiration
inspirer to inspire
installation *f* installation
installer to install; **s'installer** to settle, get settled
instant *m* moment, instant; **d'un instant à l'autre** any minute
instructif, -ve instructive
instruction *f* instruction
instrument *m* instrument
insuffisant, -e insufficient
intellectuel, -lle intellectual
intelligence *f* intelligence
intelligent, -e intelligent
intensifié, -e intensified
intention *f* intention; **avoir l'intention de** to intend to
intéressant, -e interesting
intéresser to interest; **s'intéresser à** to be interested in
intérêt *m* interest
intérieur *m* interior; **à l'intérieur de** inside
international, -e (*m pl* **internationaux**) international
interplanétaire interplanetary
interpréter to interpret
interrogateur, -trice questioning
interrompre to interrupt
interruption *f* interruption
interview *f* interview
intonation *f* intonation
intrigue *f* intrigue
intriguer to intrigue
intuition *f* intuition
inventer to invent
invisible invisible
invité, -e guest
inviter to invite
irlandais, -e Irish
ironique ironic
irrité, -e irritated
italien, -nne Italian; *m* Italian language
isolé, -e isolated

J

jaloux, -se jealous
jamais ever; **ne... jamais** never; **ne... jamais plus** never again
jambe *f* leg
japonais, -e Japanese
jardin *m* garden, park
jasmin *m* jasmine
jaune yellow
jauni, -e yellowed
jazz *m* jazz
jeter to throw
jeu *m* game
jeudi *m* Thursday
jeune young
jeunesse *f* youth
Joconde *f* "Mona Lisa"
joie *f* joy
joli, -e pretty; **tout ça c'est bien joli** that's all very well
jonction *f* junction
jouer to play
jouir de to enjoy, savor
jour *m* day; **en plein jour** in broad daylight; **faire jour** to be daylight; **huit jours** a week
journal (**journaux**) *m* newspaper; diary
journaliste journalist
journée *f* day
juger to judge
juillet *m* July
juin *m* June
jumelle *f* twin
jungle *f* jungle
jurer to swear
jusque right, right up to; **jusqu'à** right up to
juste just

K

kangourou *m* kangaroo
kilomètre *m* kilometer
koala *m* koala bear

L

là there, here; **cette année-là** that year
là-bas over there
laboratoire *m* laboratory
lac *m* lake
lâche coward
lâcher to let go of
là-dessus on that
là-haut up there
laisser to leave, let; **laisser tomber** to drop
lait *m* milk
lamentation *f* lamentation
lampe *f* lamp; **lampe de poche** flashlight
lancer to throw
langage *m* language
langue *f* language, tongue
lapin *m* rabbit
large wide, large; **marcher de long en large** to walk back and forth, up and down
lassitude *f* lassitude, weariness
latin *m* Latin language
laver to wash
le : le samedi on Saturday
leçon *f* lesson
léger, -ère light
légitime legitimate; **légitime défense** self-defense
légume *m* vegetable
lendemain *m* next day
lentement slowly
lequel, laquelle, lesquels, lesquelles which
lettre *f* letter
lever to raise; **se lever** to get up, stand up
lexicographique lexicographical
liberté *f* liberty, freedom
libre free
librement freely
lieu (**lieux**) *m* place, location; **au lieu de** instead of
ligne *f* line
lilas lilac; *n m* lilac
se limiter to be limited
linguiste linguist
linguistique *f* linguistics
lion *m* lion
lire to read; **lisant** reading
lisant *see* **lire**
lit *m* bed
littéraire literary
littérature *f* literature
livre *m* book
local, -e (*m pl* **locaux**) local
locataire tenant
locomotive *f* locomotive
loger to lodge, place
logique *f* logic
logiquement logically
loin far; **au loin** in the distance
Londres London
long, -ue long; **marcher de long en large** to walk back and forth, up and down
longtemps long time
longuement for a long time
lorsque when
louer to rent
lourd, -e heavy; **être lourd de conséquences** to have serious consequences
loyer *m* rent
lueur *f* gleam of light
lumière *f* light
lundi *m* Monday
lune *f* moon
lunettes *f pl* eyeglasses
luxe *m* luxury; **de luxe** expensive
lycée *m* French high school

M

machine *f* machine, engine; **machine à écrire** typewriter
madame *f* Mrs., madam
mademoiselle *f* Miss
magasin *m* store
magazine *m* magazine
magie *f* magic
magique magic
magnifique magnificent
main *f* hand
maintenant now
mais but
maison *f* house
maître *m* master
maîtresse *f* mistress
majeur, -e of age
mal bad, badly; *n m* **harm; avoir du mal à** to have trouble, a hard time; **avoir le mal du pays** to be homesick; **avoir mal à** to hurt, to have an ache; **faire**

mal à to hurt; **mal à l'aise** ill at ease; **pas mal de** quite a few
malade sick, ill
maladie *f* illness
malgré in spite of
malheur *m*: **porter malheur** to bring bad luck
malheureusement unfortunately
malheureux, -se unfortunate, unhappy
malin smart, clever; **faire le malin** to act smart
malle *f* trunk
maman *f* mother, mom
manger to eat
manifester to manifest, show
manipuler to manipulate
manquer : **manquer de** + *infin* to fail to; **manquer de** + *noun* to lack; **ne manquer de rien** to have everything one needs
manteau *m* coat
manuscrit *m* manuscript
manzanilla *m* manzanilla wine
maquis *m* underbrush
marbre *m* marble
marchand, -e merchant; **marine marchande** merchant marine
marchandise *f* merchandise
marche *f* walking
marché *m* market
marcher to walk; function, work
marée *f* tide
mari *m* husband
mariage *m* marriage
se marier to get married
marin *m* sailor
marine *f* navy; **marine marchande** merchant marine
maritime maritime
marque *f* mark
mars *m* March
Marseillais, -e person from Marseilles
mas *m* farm in the Midi
masculin, -e masculine
masse *f* mass, bulk
match *m* match, game
maternel, -lle maternal, on the mother's side
matin *m* morning
matinée *f* morning
mauvais, -e bad
mauve mauve
médiocre mediocre
méditatif, -ve meditative
méditer to meditate
méditerranéen, -nne Mediterranean
mégalomanie *f* megalomania, *see fn, p. 34*
meilleur, -e better, best; *n m* best
mélancolie *f* melancholia
mélancolique melancholy
(se) **mêler** to mingle; **mêle-toi de ce qui te regarde** mind your own business
membre *m* member
même even; same; **de même** the same (thing); **eux-mêmes** themselves; **le jour même** that same day; **tout de même** all the same
mémoire *m* memoir
mémorable memorable
ménage *m*: **faire le ménage** to do house-cleaning
mener to lead
mentalement mentally
mentionner to mention
menu *m* menu
mer *f* sea; **en pleine mer** on the open sea
merci thank you
mère *f* mother
merveille *f* marvel
messe *f* Mass
mesurer to measure
métal *m* metal
métallique metallic
météorologique meteorological
mètre *m* meter
métro *m* subway
mettant *see* **mettre**
mettre to put, put on; **mettant** putting; **mettre... devant le fait accompli** to present . . . with the accomplished fact; **mettre en marche** to start; **mettre la radio** to turn on the radio; **mettre une heure** to take an hour; **se mettre à** to begin; **se mettre en colère** to get angry
meurt, elle *see* **mourir**
miauler to meow
midi *m* noon
Midi *m* southern France
mienne : **la mienne** mine
mieux better; **aimer mieux** to prefer; **faire de son mieux** to do one's best
milieu *m* middle

militaire military
millier *m* about a thousand
millionnaire millionaire
ministre *m* minister
minuit *m* midnight
minute *f* minute
minutieusement minutely
mirage *m* mirage, illusion
misérable miserable, pitiful
misérablement miserably
mistral *m* mistral, *see fn, p. 133*
mode *f*: **à la mode** in style
modèle *m* model
moderne modern
modernisation *f* modernization
moderniser to modernize
modeste modest
modifié, -e modified
moins less, minus; **à moins que** unless; **au moins** at least
mois *m* month
moitié *f* half; **à moitié endormi** half-asleep
moment *m* moment, time
monastère *m* monastery
monde *m* world; **tout le monde** everyone
mondial, -e (*m pl* **mondiaux**) world, world-wide
monôme *m* *see fn, p. 1*
monotone monotonous
monsieur (**messieurs**) *m* gentleman; Mr., sir; **M'ssieurs Dames** *see fn, p. 135*
monstre *m* monster
montagne *f* mountain
monter to go up, get in, get on, come up; install
montrer to show
monument *m* monument
se moquer : nous nous en moquons we couldn't care less
mordre to bite
mort, -e dead; *n f* death
morue *f* cod
mot *m* word
motard *m* motorcycle cop
moteur *m* motor
mouillé, -e damp
mourir to die; **elle meurt** it dies; **mourir d'envie** to be dying to
mousse *f*: **mousse au chocolat** chocolate mousse, *see fn, p. 112*
moustache *f* moustache
mouton *m* sheep
mouvement *m* movement
moyen *m* way, means
multicolore multicolored
multimillionnaire multimillionaire
mur *m* wall
murmurer to murmur, mutter
musclé, -e muscular
musée *m* museum
musique *f* music
mystère *m* mystery
mystérieux, -se mysterious

N

nager to swim
naïf, -ve naive, unaffected
naissance *f* birth
national, -e (*m pl* **nationaux**) national
Nationale *f* highway
nationalité *f* nationality
Nations Unies *f pl* United Nations
nature *f* nature
naturel, -lle natural
naturellement naturally
navigateur *m* navigator
navigation *f* navigation
ne : ne... aucun none, not any, no; **ne... jamais** never; **ne... jamais plus** never again; **ne... ni** nor; **ne... ni... ni** neither . . . nor; **ne... non plus** not . . . either; **ne... pas** not; **ne... personne** not . . . anyone; **ne... plus** no more; **ne... plus rien** no longer . . . anything; **ne... que** only; **ne... rien** nothing, not . . . anything
né, -e born
nécessaire necessary
négatif, -ve negative
négation *f* negation
négocier to negotiate
neige *f* snow
neiger to snow
nerveux, -se nervous
neuf, -ve brand new
new yorkais, -e from New York
nez *m* nose
ni : ne... ni nor; **ne... ni... ni** neither . . . nor
nièce *f* niece

night-club *m* night club
Noël *m* Christmas; Christmas carol
noir, -e black
nom *m* name
nomade nomadic
nombre *m* number
nombreux, -se numerous
non no, not
nonchalamment nonchalantly
nonchalant, -e nonchalant
nord *m* north
normal, -e (*m pl* **normaux**) normal
nostalgie *f* nostalgia
note *f* note
nôtre : un des nôtres one of us
nouveau, nouvel, nouvelle (*m pl* **nouveaux**) new; **de nouveau** again
nouvelle *f* piece of news
nuage *m* cloud
nuit *f* night
numéro *m* number
nylon *m* nylon
nymphe *f* nymph

O

objection *f* objection
objet *m* object
obliger to oblige, force
observatoire *m* observatory
observer to observe
obtenir to obtain
occasion *f* opportunity, occasion
occidental, -e (*m pl* **occidentaux**) occidental, western
occupation *f* occupation
occuper to occupy; **s'occuper de** to take care of
océan *m* ocean
octobre *m* October
odeur *f* odor, smell
œil (**yeux**) *m* eye; **en un clin d'œil** in no time
œuf *m* egg
officiel, -lle official
officiellement officially
offrir to offer, give
oiseau (**oiseaux**) *m* bird
olive *f* olive
ombre *f* shade
omelette *f* omelet
oncle *m* uncle
opéra *m* opera; **Opéra** Paris opera house
opération *f* operation
opinion *f* opinion
opposer to divide, oppose
or *m* gold
orage *m* storm
orange orange; *n f* orange
ordre *m* order
oreille *f* ear
organisateur, -trice organizer
organisation *f* organization
organiser to organize
oriental, -e (*m pl* **orientaux**) oriental, eastern
orientaliste Orientalist
original, -e (*m pl* **originaux**) original, different
originalité *f* originality
originel, -lle original
os *m* bone; **y laisser ses os** to die there; **trempé jusqu'aux os** soaked to the skin
osciller to oscillate, rock
oser to dare
ou or
où where; **le jour où** the day when
oublier to forget
ouest *m* west
oui yes
outil *m* tool
(**s'**)**ouvrir** to open
oxygène *m* oxygen

P

page *f* page
pain *m* bread
paire *f* pair
paix *f* peace
pâle pale
panneau (**panneaux**) *m* billboard
papa *m* father, dad
papier *m* paper
papillon *m* butterfly
Pâques *f* Easter
paquet *m* pack, package
par by, for, on, with, through, each; **par ici** this way; **par semaine** a week
paradis *m* paradise
paradoxal, -e (*m pl* **paradoxaux**) paradoxical

paraître to appear; **paraît-il** it seems
paralyser to paralyze, bring to a standstill
parce que because
parchemin *m* parchment
pardon pardon, excuse me
pardonner to pardon
pare-chocs *m* bumper
pareil, -lle alike, the same
parents *m pl* parents
parenthèse *f* parenthesis
paresse *f* laziness
paresseux, -se lazy
parfois sometimes, occasionally
parfum *m* perfume
parfumé, -e perfumed
parisien, -nne Parisian
parler to talk, speak; **entendre parler de** to hear about
parmi among
part *f*: **à part ça** aside from that; **quelque part** someplace
partager to share, split
partenaire partner
parti *m* side
participer to participate
partie *f* part
partir to leave
partout everywhere
particulièrement especially, particularly
pas not; **ne... pas** not; **pas du tout** not at all; **pas mal de** quite a few
pas *m* step; **à deux pas** just up the street
passage *m* passage
passager, -ère passenger
passer to pass; **passer pour** to look like; **se passer** to happen, go on, turn out
se passionner pour to be very interested in
pasteurisé, -e pasteurized
pâté *m*: **pâté de foie gras** goose liver, *see fn, p. 27*
paternel, -lle paternal
patiemment patiently
patience *f* patience
patient, -e patient
pâtisserie *f* pastry shop; pastry
pâtissier *m* pastry chef
patriarche *m* patriarch
patriotisme *m* patriotism
patron, -nne owner, boss
patte *f* paw
pauvre poor
payer to pay, pay for
pays *m* country, area; **avoir le mal du pays** to be homesick; **Pays Basque** *see fn, p. 74;* **rentrer au pays** to go back home
paysage *m* countryside
peau *f* skin
pêche *f* fishing
pêcher to fish
pêcheur *m* fisherman
peindre to paint
peine *f* trouble; **à peine** barely, scarcely; **avoir de la peine à** to have difficulty in; **ça vaut la peine** it's worth it
peintre *m* painter
peinture *f* painting
pelle *f* shovel
pelote *f* pelota, *see fn, p. 77*
pendant for, during; **pendant que** while
pénétrer to penetrate
péniblement painfully, with difficulty
penser to think; **Vous pensez!** Can you imagine!
pente *f* slope
percer to pierce
se percher to perch
perdre to lose; waste; **se perdre** to get lost
perdu : deux heures de perdues two hours lost
père *m* father; **père de famille** father
permanent, -e permanent
permettre to permit, allow
permission *f* permission
perpetuel, -lle perpetual
personne *f* person; **ne... personne** no one, nobody, not . . . anyone; **ne... personne d'autre** no one else
personnel, -lle personal
personnalité *f* personality
persuader to persuade
pessimiste pessimistic
peste *f* pest
pétard *m* firecracker
petit, -e small, little
petit déjeuner *m* breakfast
petits-enfants *m pl* grandchildren
peu little; **peu à peu** little by little
peuple *m* people
peur *f* fear, fright; **avoir peur** to be afraid; **faire peur à** to frighten
peut-être perhaps, maybe

pharmacie *f* pharmacy
pharmacien *m* pharmacist
philosophe philosopher
phosphorescent, -e phosphorescent
photo *f* photograph, snapshot
photographe photographer
phrase *f* sentence
phylloxéra *m* phylloxera, *see fn, p. 64*
pièce *f* room; coin
pied *m* foot; **à pied** on foot
pierre *f* stone
pigeon *m* pigeon
pile *f* pile
pilote *m* pilot
pin *m* pine tree
pincer to pinch
pipe *f* pipe
pique-niquer to picnic
pire worse
pirouette *f* pirouette; **faire des pirouettes** to pirouette
pis : tant pis too bad
pitié *f* pity; **avoir pitié de** to take pity on
pittoresque picturesque
place *f* seat; square; place; room, space; **sur place** there on the spot
placer to place
plage *f* beach
se plaindre to complain
plaine *f* plain
plaintif, -ve plaintive
plaire à to please, be pleasing to; **se plaire à** to enjoy, like to
se plaisait, elle *infin* **se plaire**
plaisanterie *f* joke
plaisir *m* pleasure; **avoir plaisir à** to find it a pleasure to
plan *m* plan
planète *f* planet
plantation *f* plantation
planter to plant
plastique *m* plastic
plat, -e flat
platane *m* plane tree
plateforme *f* platform
plâtre *m* plaster cast
plein, -e full; **en plein air** in the open air; **en pleine forme** in topnotch shape; **en pleine mer** on the open sea; **en plein jour** in broad daylight
pleurer to cry
pleut, il *infin* **pleuvoir**
pleuvait, il *infin* **pleuvoir**
pleuvoir to rain
pluie *f* rain
plupart *f* most
plus more; **de plus en plus** more and more; **le, la, les plus** + *adj* the most; **ne... jamais plus** never again; **ne... non plus** not . . . either; **ne... plus** no longer; **ne... plus de** no more; **ne... plus rien** no longer . . . anything; **plus de** more than
plusieurs several
plutôt rather
pneu *m* tire
pneumonie *f* pneumonia
poche *f* pocket
poème *m* poem
poète *m* poet
poignet *m* wrist
poing *m* fist; **coup de poing** punch
point *m* point
poison *m* poison
poisson *m* fish
police *f* police
politique political; *n f* politics
pomme de terre *f* potato
pompe *f* pump
pont *m* deck; bridge
population *f* population
porcelaine *f* porcelain
port *m* port
porte *f* door
porte-clefs *m* key ring
porter to wear; carry; **porter malheur** to bring bad luck
porteur *m* porter
portrait *m* portrait
posé, -e placed, put down
poser : poser une question to ask a question
position *f* position
possibilité *f* possibility
possible possible
poste *f* post office
postière *f* post office employee
poudre *f* powder
poupée *f* doll
pour for, in order to; **pour que** so that; **pour revenir** to return

pourquoi why
poursuivre to pursue
pourtant yet, but, really
pourvu que provided that
pousser to push; drive; grow; **pousser un cri** to cry out; **pousser un soupir** to breathe a sigh
pouvant *see* **pouvoir**
pouvoir to be able; **pouvant** able
pratique practical
précaution *f* precaution
précédent, -e preceding
précieux, -se precious
se précipiter to hurry, rush
précis, -e precise
précoce precocious
prédiction *f* prediction
préférer to prefer
prélude *m* prelude
premier, -ère first; *n m* second floor
première *f* premiere, opening performance
prenant *see* **prendre**
prendre to take; pick up; **prenant** taking
se préoccuper to be preoccupied, bother
préparer to prepare
près near, close
présence *f* presence
présent *m* present time; **à présent** now
présenter to introduce, present
président *m* president; **président-directeur-général** president (of a company)
presque almost
pressant, -e pressing, urgent
pressé, -e rushed, in a hurry
prestigieux, -se prestigious, well-known
prêt, -e ready
prévision *f* forecast
prévoir to foresee, plan
prier to beg; **je vous en prie** please, I beg of you; **nous vous prions de bien vouloir...** you are kindly requested . . .
prima donna *f* prima donna
primitif, -ve primitive
prince *m* prince
principal, -e (*m pl* **principaux**) principal
printemps *m* spring
prise *f* **: prise d'air** air intake
prison *f* prison
prisonnier, -ère prisoner
privé, -e private
prix *m* price
probablement probably
problème *m* problem
proche close
procurer to procure, get
prodigieux, -se prodigious, amazing
producteur *m* producer
produit *m* product
professeur *m* teacher, professor
professionnel, -lle professional
profiter de to take advantage of
profond, -e deep
profondément deeply
programme *m* program
progrès *m* progress
progresser to progress
projet *m* plan
promenade *f* ride, walk
se promener to ride, walk
promeneur *m* stroller
promettre to promise
promotion *f* promotion
prononcer to pronounce
propos *m* **: à propos** by the way
proposer to suggest
propre clean
propriétaire proprietor, owner
propriété *f* property
prospérer to prosper
protection *f* protection
protéger to protect
protestation *f* protest
protester to protest
prouver to prove
province *f* *see fn, p. 52*
provisions *f pl* provisions
provoquer to provoke
prudent, -e prudent, careful
psychiatre *m* psychiatrist
psychologie *f* psychology
public, -que public
publication *f* publication
publicitaire publicity
publicité *f* publicity, advertising
publier to publish
puis then, besides
puisque since
pull-over *m* pullover
punir to punish
pur, -e pure

Q

quai *m* wharf, pier, dock
qualité *f* quality
quand when
quarantaine *f* about forty
quartier *m* district, neighborhood
que *conj* that, which; **que** + *subj* may . . . , let . . . ; *pro* what, that; *adv* **ne... que** only
quel, quelle, quels, quelles what; **quelle odeur** what an odor
quelque some, a few
quelque chose (**de**) something
quelquefois sometimes
quelque part some place
quelques-uns, quelques-unes *pro* some
quelqu'un (**de**) someone
qu'est-ce que what; **qu'est-ce que c'est que** what is
qu'est-ce qui what
question *f* question
queue *f* tail; line; **faire la queue** to stand in line
qui who, whom, which
quitter to leave
quoi what; **en quoi** in what way; **n'importe quoi** anything, no matter what

R

race *f* race, breed
raconter to tell, tell about
radar *m* radar
radio *f* radio
rafale *f* gust
raison *f* reason; **avoir raison** to be right; **se faire une raison** to resign oneself
ramasser to pick up
rame *f* oar; **bateau à rames** rowboat; **sortir à la rame** to row out
ramener to bring back, take back
ramper to crawl
rançon *f* ransom
rangé, -e ordered
ranger to arrange, put in order
rapidement rapidly
rapides *m pl* rapids
rappeler to call back; **rappeler quelque chose à quelqu'un** to remind someone of something; **se rappeler** to remember
rapport *m* report
rapporter to return
rare rare
rarement rarely
rassembler to gather together, assemble
rat *m* rat
ravi, -e delighted
rayon *m* ray
réaction *f* reaction
réaliser to realize, make real
réalité *f*: **en réalité** actually, in reality
rebelle rebel
récent, -e recent
réception *f* reception
receveur *m* bus conductor, *see fn, p. 8*
recevoir to receive
recherche *f* search; **à la recherche de** in search of
récit *m* account; **faire un récit** to give an account
reçois, je *infin* **recevoir**
recommencer to begin again
reconnaissance *f*: **faire une reconnaissance** to go on reconnaissance
reconnaître to recognize, admit
reconstruire to reconstruct
se recoucher to go back to bed
reçu *pp* **recevoir**
reculer to retreat
rediscuter to rediscuss
réduit, -e reduced
refaire to do over again
se refermer to close again
réfléchir to think, reflect
réflexion *f* reflection
refuge *m* refuge
refuser to refuse
regard *m* look
regarder to look at
régime *m* diet
région *f* region
regretter to regret
régulier, -ère regular
rejeter to throw back
rejoindre to meet, join
se relever to get up again, get back up
religieusement religiously
religieux, -se religious
se remarier to remarry
remarquable remarkable
remarquer to notice; **faire remarquer** to point out

remercier to thank
remettre to put back; **se remettre au travail** to go back to work
remonter to get in again, climb up again
remords *m* remorse
remplacer to replace
rencontrer to meet, run into
rendez-vous *m* appointment
se rendormir to go back to sleep
rendre : rendre + *adj* to make; **rendre service à** to help; **rendre visite à quelqu'un** to visit someone; **se rendre** to surrender; **se rendre compte** to realize
renseignement *m* piece of information
rentrer to go home; **rentrer dedans** *fam* to smash into
repaire *m* den, lair
réparer to repair
repartir to leave again
repas *m* meal
repasser to pass again, go back over
repêcher to fish out, retrieve
répéter to repeat; **se répéter** to be repeated
répondre to answer, reply
réponse *f* response
se reposer to rest
reprendre to take back, take up again; **reprendre son chemin** to continue on one's way; **reprendre une conversation** to come back to a conversation
représentant *m* representative
représenter to represent
reprocher to reproach
république *f* republic
résister to resist
respect *m* respect
respectable respectable
respecter to respect
respirer to breathe
responsable responsible
ressemblance *f* resemblance
ressembler à to look like
ressource *f* resource
restaurant *m* restaurant
reste *m* rest
rester to stay, remain; **il reste quelque espoir** there is some hope left
résultat *m* result
retard *m* **: en retard sur** behind; **être en retard** to be late
retarder to postpone
retenir to hold back; **se retenir de** to keep from
retomber to fall back
retour *m* return; **être de retour** to be back, have returned
retourner to return; **se retourner** to turn around
retrouver to find again
réunion *f* reunion
se réunir to reunite, meet
réussir to succeed
réveiller to awaken; **se réveiller** to wake up
réveillon *m* *see fn, p. 117*
révéler to reveal
revenir to come back, return
rêver to dream
revoir to see again; *n m* **: au revoir** good-bye
se révolter to revolt
rhumatisme *m* rheumatism
ri *pp* rire
riaient, ils *infin* **rire**
riche rich
ridicule ridiculous
rien : ne... en rien not at all, in no way; **ne... plus rien** no longer . . . anything; **ne... rien d'autre** nothing else; **rien... ne** nothing
rire *m* laugh
rire to laugh; **rire comme une baleine** to laugh one's head off
risque *m* risk
risquer to risk
rit, il *infin* **rire**
rituel, -lle ritual
rive *f* **: Rive Droite** Right Bank
rivière *f* river
riz *m* rice
robe *f* dress
robot *m* robot
robuste strong, robust
rocher *m* rock
rôle *m* role
roman *m* novel
romantique romantic
rond, -e round
rose *f* rose
rôti *m* roast
rôtir to roast
roue *f* wheel
rouge red

rougi, -e reddened
rouler to ride, go
roumain, -e Rumanian
route *f* road; **en route** on the way; **En route!** Let's go!
rouvrir to reopen
roux, -sse reddish
royal, -e (*m pl* **royaux**) royal
rue *f* street
ruine *f* ruin
ruisseau *m* stream
rythme *m* rhythm
rythmé, -e rhythmic

S

sac *m* bag
sacré, -e sacred, holy
sage "good"; *n m* sage, wise man
sain, -e healthful, healthy
saison *f* season
sale dirty
se salir to get dirty
salle *f* room; **salle de bains** bathroom; **salle de cinéma** movie theater
salon *m* living room
salut *m* salute
salutation *f* salutation, greeting
samedi *m* Saturday
sandwich *m* sandwich
sans without; **sans ça** if it weren't for that; **sans doute** probably; **sans que** without
santé *f* health
sardine *f* sardine
satin *m* satin
satisfaction *f* satisfaction
satisfaire to satisfy
sauce *f* sauce
sauté, -e sauteed
sauvage wild; *n* savage
se sauver to run away
savant *m* scientist
savoir to know; **quand j'ai su** when I learned
savon *m* soap
savoureux, -se savory
scandale *m* scandal
scandalisé, -e scandalized
scène *f* scene
Sciences-Po *see fn, p. 97*
scientifique scientific
sec, sèche dry
seconde *f* second
secouer to shake
secret, -ète secret; *n m* secret
secrètement secretly
secteur *m* sector
section *f* section
sédentaire sedentary
séjour *m* stay
sel *m* salt
semaine *f* week
semblable similar
semblant *m* **: faire semblant de** to pretend
sembler to seem
sens *m* sense, meaning
sensation *f* sensation
sensationnel, -lle sensational
sentier *m* path
sentiment *m* feeling
sentimental, -e (*m pl* **sentimentaux**) sentimental
sentir to feel; smell, smell like; **se sentir** to feel
séparer to separate
septembre *m* September
serbo-croate Serbo-Croatian
sérénade *f* serenade
sérénité *f* serenity
sérieux, -se serious; *n m* seriousness
serpent *m* serpent
serrer to grasp, squeeze; **serrer la main à quelqu'un** to shake someone's hand
service *m* service; **rendre service à** to help
serviette *f* towel
servir to serve; **ne servir à rien** to be of no use
seul, -e only; alone
seulement only
sévère severe, harsh
si so; *conj* if, whether; **Si!** Yes!; **Si je la connaissais!** Did I know her!
siècle *m* century
siège *m* siege
sieste *f* siesta, nap
siffler to blow a whistle, whistle
signal *m* signal
signe *m* sign; **faire signe à** to signal
signer to sign
silence *m* silence

silencieusement silently
silencieux, -se silent
silhouette *f* silhouette
simple simple
simplement simply
simplicité *f* simplicity
simplifier to simplify
sirène *f* siren
sirocco *m* sirocco, *see fn, p. 128*
site *m* site
situation *f* situation
situé, -e situated
ski *m* ski; **faire du ski** to go skiing
skieur, -se skier
snob snobbish
sociable sociable
sœur *f* sister
soif *f* thirst
soir *m* evening
soirée *f* evening
sol *m* ground
solaire solar
soldat *m* soldier
sole *f* sole
soleil *m* sun
solidement solidly
solitaire solitary; **en solitaire** alone
solitude *f* solitude
solution *f* solution
sombre somber, dark
somme *f* sum
sommeil *m* **: avoir sommeil** to be sleepy
sommet *m* summit
somptueux, -se sumptuous, magnificent
sorte *f* sort
sortie *f* exit
sortir to go out, leave; **sortir à la rame** to row out; **sortir** + *dir obj* to take out
souffler to snort, blow
soupçon m suspicion
soupçonner to suspect
soupçonneux, -se suspicious
soupir *m* sight; **pousser un soupir** to breathe a sigh
sourire *m* smile
sourire to smile
souris *f* mouse
sourit, il *infin* **sourire**
sous under
souvenir *m* remembrance, souvenir
se souvenir de to remember
souvent often
spatial, -e (*m pl* **spatiaux**) space
spécial, -e (*m pl* **spéciaux**) special
spécialement specially
spécialiste specialist
spécialité *f* specialty
spectateur *m* spectator
sport *m* sport
sportif, -ve athletic
squelette *f* skeleton
standard standard
statue *f* statue
statuette *f* statuette
steak *m* steak
stéthoscope *m* stethoscope
strictement strictly
strident, -e strident, shrill
studieux, -se studious
stupide stupid
subtile subtle
succéder to succeed, follow
succès *m* success
succession *f* succession
succulent, -e succulent, tasty
sud *m* south
suggérer to suggest
suggestion *f* suggestion
suicide *m* suicide
suisse Swiss; *n* **Suisse, Suissesse** Swiss person
Suisse *f* Switzerland
suit, elle *infin* **suivre**
suite *f* **: tout de suite** right away
suivait, il *infin* **suivre**
suivant, -e following
suivi *pp* **suivre**
suivre to follow
sujet *m* subject
superbe superb
supérieur, -e superior
superstitieux, -se superstitious
supplémentaire supplementary
supporter to bear
supposer to suppose
sur on, about, to; **sur place** there on the spot; **sur qui on peut tomber** whom one may run into, encounter
sûr, -e sure; **bien sûr** of course
sûrement surely, certainly
surface *f* surface
surmonter to surmount, overcome
surprendre to surprise

surprise *f* surprise
surtout especially, particularly
survivant, -e survivor
survivre to survive
svastika *m* *see fn, p. 76*
svelte svelte, slender
sympathique nice, pleasant
synthétique synthetic
système *m* system

T

tabac *m* tobacco
table *f* table
tableau *m* painting
tablette *f* tablet
tache *f* spot
se taire to keep quiet
tais, je me *infin* **se taire**
taisais, tu te *infin* **se taire**
talent *m* talent
tamisé, -e dimmed
tant so much, so many; **tant mieux** so much the better; **tant pis** too bad
tante *f* aunt
tapis *m* rug
tard late
tartine *f* piece of buttered bread
tas *m* pile
tasse *f* cup
tatoué, -e tatooed
taureau *m* bull
taxe *f* tax
taxi *m* taxi
tchèque Czech
technicien *m* technician
technique *f* technique
teenager *m* teen-ager
teint *m* : **teint bronzé** tan
télé *f* TV
télégramme *m* telegram
télépathe telepathic
téléphone *m* telephone; **coup de téléphone** telephone call
téléphoner to telephone
télescope *m* telescope
télévision *f* television
tellement so
tempête *f* tempest, storm
temps *m* time; **temps limite** time limit
tendre tender
tendu, -e tense
tenir to hold, hold together; **tenez** well; I'll tell you what; **Tiens!** What do you know!; **tenir à** to really want, insist upon; **se tenir au courant** to keep up to date
tennis *m* tennis
tente *f* tent
tenter to try
terminer to finish, end
terrain *m* terrain, land, field
terrasse *f* terrace; **à la terrasse d'un café** at a sidewalk café
terre *f* land; **par terre** on the ground; **Terre** Earth
terrible terrible
tête *f* head; "face"
têtu, -e stubborn
thé *m* tea
théâtre *m* theater
théorie *f* theory
thon *m* tuna
ticket *m* ticket
tirer to pull; shoot; **il en tire des idées** he gets ideas from them; **ils peuvent me tirer dessus** they can shoot at me; **tirer sur** to fire at
tituber to stagger
toit *m* roof; **sous les toits** in a garret
tomate *f* tomato
tombe *f* tomb
tomber to fall; **laisser tomber** to drop; **tomber sur** to run into, encounter
tonne *f* ton
tôt early
toucher à to touch
toujours always; still
tour *f* tower
tour *m* turn; tour; trip
tourisme *m* tourist trade
touriste tourist
(se) **tourner** to turn
tousser to cough
tout, tous *pro* everything, all, anything, whatever
tout, toute, tous, toutes *adj* the whole, all, every; **à toute vitesse** as fast as possible, at full speed; **de toute façon** in any case; **tous les deux** both; **tout le monde** everyone
tout *adv* very, all, just; **à tout à l'heure** see you later; **rien du tout** nothing at

all; **tout à coup** suddenly; **tout à fait** completely; **tout aussi bien** just as well; **tout d'abord** first of all; **tout de même** after all, all the same; **tout de suite** right away; **tout d'un coup** all of a sudden, **tout neuf** brand-new
trace *f* trace; trail
tracteur *m* tractor
tradition *f* tradition
traditionnel, -lle traditional
traduction *f* translation
tragique tragic
train *m* train; **être en train de** to be in the process of, be busy . . .
traîner to roam around
traître, traîtresse traitor, traitress
tranquille quiet, calm; **laissez-moi tranquille** leave me alone
tranquillement quietly, in a leisurely way
tranquillité *f* tranquillity, peace
transmettre to transmit
transparent, -e transparent
transporter to transport, carry
travail (**travaux**) *m* work
travailler to work
traverser to cross
trembler to tremble, shake
trempé, -e soaked
très very
trésor *m* treasure
tribu *f* tribe
tribunal (**tribunaux**) *m* tribunal, court
tricoter to knit
triomphe *m* triumph
triple triple
triste sad
tristement sadly
se tromper to make a mistake, be mistaken
trop (**de**) too, too much, too many
trottoir *m* sidewalk
trou *m* hole
troupe *f* troop
trouvaille *f* original idea
trouver to find; **se trouver** to be, find oneself
tuer to kill
tunnel *m* tunnel
turc, -que Turkish; *n* Turk
tutoyer to use the **tu** form
tutu *m* ballerina's dress
type *m* type

U

ultra-moderne ultramodern
un : les uns après les autres one after the other; **les uns contre les autres** against one another
uniforme *m* uniform
unique unique
universe *m* universe
universel, -lle universal
université *f* university
urgent, -e urgent
utiliser to utilize, use

V

vacances *f pl* vacation
vache *f* cow
vague vague; *n f* wave
vaguement vaguely
valise *f* suitcase
vallée *f* valley
valoir to be worth; **ça vaut mieux** that's better; **rien ne vaut** there's nothing like, nothing compares with
se vanter to boast
vaste vast
vécu *pp* **vivre**
végétation *f* vegetation
véhémence *f* vehemence
veille *f* day before
venant *see* **venir**
vendeuse *f* salesgirl
vendre to sell
vendredi *m* Friday
vénérable venerable
vénération *f* veneration
vengeance *f* vengeance, revenge
venger to avenge
venir to come; **venant** coming; **venir de** to have just
vent *m* wind; **faire du vent** to be windy
Verdun *see fn, p. 67*
vérifier to verify
véritable real, true
vérité *f* truth
verre *m* glass
vers around, toward, about
version *f* version; translation from a foreign language into one's own
vert, -e green

vertige *m* vertigo; **avoir le vertige** to feel dizzy in high places
Vespa *f* Vespa
vêtement *m* article of clothing
vétéran *m* veteran
vexer to hurt someone's feelings; **se vexer** to be hurt
viande *f* meat
vice versa vice versa
Vichy *see fn, p. 82*
victime *f* victim
victoire *f* victory; **Victoire de Samothrace** "Winged Victory"
vide empty
vider to empty
vie *f* life; **en vie** alive
vieux, vieil, vieille (*m pl* **vieux**) old
vigoureux, -se vigorous
vigueur *f* vigor
villa *f* villa
village *m* village
ville *f* city
vin *m* wine
vingtaine *f* about twenty
violent, -e violent
violet, -tte violet, purple; *n f* violet
violoncelle *m* cello
visage *m* face
visible visible
vision *f* vision, sight
visite *f* visit; **rendre visite à quelqu'un** to visit someone
visiter to visit
visiteur *m* visitor
vit, il, *infin* **vivre**
vital, -e (*m pl* **vitaux**) vital
vite fast, quickly
vitesse *f* speed; **à toute vitesse** at full speed, as fast as possible
vitrine *f* store window
vivait, il *infin* **vivre**
vivez, vous *infin* **vivre**
vivre to live
vocal, -e (*m pl* **vocaux**) vocal
vocation *f* vocation
voici here is, here are
voilà here is, here are, there is, there are
voile *f* sail; **bateau à voiles** sailboat
voir to see; **en voir d'autres** to go through worse things; **voyons** come on
voisin, -e neighboring; *n* neighbor
voiture *f* car
voix *f* voice; **à haute voix** aloud
volant *m* steering wheel
voler to steal
volet *m* shutter
voleur, -se robber
volume *m* volume
volumineux, -se voluminous
voter to vote
vouloir to want; **vouloir dire** to mean; **nous vous prions de bien vouloir** you are kindly requested; **vouloir bien** to be willing, be so kind as
voyage *m* trip; **partir en voyage** to go on a trip
voyager to travel
voyageur *m* traveler
voyons *see* **voir**
vrai, -e true, real
vraiment really
vue *f* view; **à première vue** at first sight

W

week-end *m* weekend
whiskey *m* whisky

Y

y there, about it, about them
yeux *m pl* eyes

Z

zèle *m* zeal
zoo *m* zoo

B 8
C 9
D 0
E 1
F 2
G 3
H 4
I 5
J 6